Students and External Readers

BIBLIOTHEK DER KLASSISCHEN
ALTERTUMSWISSENSCHAFTEN

Neue Folge · 2. Reihe · Band 42

DORIS ABLEITINGER-GRÜNBERGER

Der junge Horaz und die Politik

Studien zur 7. und 16. Epode

HEIDELBERG 1971

CARL WINTER · UNIVERSITÄTSVERLAG

Meinen Eltern
in Dankbarkeit

ISBN 3 533 02129 7 (Kt)
ISBN 3 533 02130 0 (Ln)

VORWORT

Die 16. Epode des Horaz, die im Zentrum dieser Arbeit steht, nimmt in erster Linie wegen ihrer problematischen Stellung zur 4. Ekloge Vergils in der Forschung einen breiten Raum ein. Doch die vieldiskutierte Frage, ob der Ekloge Vergils zeitlich und künstlerisch der Vorrang gebühre, oder ob man der horazischen Epode die Priorität zuerkennen müsse, soll in der vorliegenden Arbeit, deren Gesichtspunkte andere sind, nur am Rande berührt werden.

Friedrich Klingner hat in seinem Aufsatz „Gedanken über Horaz"[1] auf die Bedeutung der 16. Epode im Rahmen der politischen Dichtung des Horaz verwiesen. Seine Ansicht wurde neuerdings von Viktor Pöschl in der Abhandlung „Horaz und die Politik" wieder aufgegriffen[2]. Eine detaillierte Untersuchung über die eigentliche Aussage des Gedichtes und die Art seiner Bedeutung für das spätere Werk des Horaz wurde jedoch noch nicht erbracht. Hans Drexler, bei dem sich im Anschluß an eine ausführliche Behandlung der 16. Epode auch einige Hinweise auf verwandte Elemente in den Oden finden, kommt zu einer durchwegs negativen Auffassung des Gedichtes[3]. In dieser Arbeit soll nunmehr versucht werden, durch eine möglichst umfassende Interpretation zum eigentlichen Charakter und zur Bedeutung der 16. Epode für das lyrische Werk des Horaz vorzudringen. Zur Abrundung der Arbeit wurde auch die in Thema und Genos verwandte Epode 7 vorausgeschickt und in einem knappen Exkurs Epode 1 behandelt.

Da eine Betrachtung gerade dieser speziell dem Politischen verhafteten Gedichte, losgelöst von zeitgenössischen Phänomenen und Tendenzen, unweigerlich zu verfehlten Perspektiven führen muß, wurde der Versuch unternommen, in Form von gedrängten Ausblicken zumeist in den Fußnoten den in seinem komplexen Gefüge diffizilen Hintergrund soweit festzustellen, wie es der Rahmen einer in sich geschlossenen Interpretation gestattet. Eine präzise Einordnung der einzelnen Motive in die Geistigkeit der Zeit wurde nicht angestrebt. Diese Thematik wäre Gegenstand einer selbständigen Untersuchung. Bewußt wurde auch darauf verzichtet, einen philosophischen Standort des Horaz zu fixieren, der wiederholt zu wissenschaftlichen Studien Anlaß gegeben hat. Denn die durchaus eklektische, in ihrem Schwerpunkt unterschiedlich gelagerte philosophische Herkunft des Horaz, wie sie sich an der Motivik seines Werkes ablesen läßt, scheint doch eher der Artikulation jenes Gedanken- und Empfindungszusammenhanges zu dienen, dessen Darstellung uns im Hinblick auf den genuinen Dichter Horaz vor allem wichtig erschien, als daß sie als Ursache der Genese dieses Zusammenhanges angesehen werden dürfte.

---

[1] Friedrich KLINGNER, Gedanken über Horaz. Antike 5/1929, abgedruckt in: Röm. Geisteswelt, ⁴1961, S. 353—373.

[2] Viktor PöSCHL, Horaz und die Politik. SAW. Heidelberg, phil./hist. Kl. 1956/4.

[3] Hans DREXLER, Interpretationen zu Horaz' 16. Epode. Mit einem Anhang zu Epod. 7, Carm. I 14 und Epod. 1. SIFC 1935, S. 119—164.

Die Literatur zur 16. Epode wurde, soweit Vollständigkeit in der Horazliteratur
möglich ist, berücksichtigt, ebenso die Publikationen zur 7. und 1. Epode und die
wichtigsten Gesamtdarstellungen zu Horaz. Auf Odenliteratur wurde im allgemeinen verzichtet.

Diese Arbeit ist im wesentlichen unverändert der Philosophischen Fakultät der
Universität Graz im Jahre 1966 als Dissertation vorgelegen. Aus dem Anhang der
Dissertation wurde als selbständiger Aufsatz die Interpretation der 9. Epode in den
WS 1968 veröffentlicht[4]. Die seit 1966 erschienene Literatur wurde in den Anmer-
kungen eingearbeitet, die Behandlung der 1. Epode gestrafft, die Zusammenfassung
neu erstellt.

Für die unermüdliche Betreuung und Förderung der Arbeit und das allen Problemen stets aufgeschlossene Interesse möchte ich meinem verehrten Lehrer, Herrn
Prof. Dr. Karl Vretska, an dieser Stelle meinen tiefempfundenen Dank ausdrücken.
Mein Dank gilt auch meinem Lehrer, Herrn Prof. Dr. Franz Stoessl, der die Arbeit
mitbegutachtet hat, sowie Herrn Prof. Dr. Ernst Doblhofer, dem ich für manche
wertvolle Anregung verpflichtet bin. Danken möchte ich an dieser Stelle auch der
Steiermärkischen Landesregierung für die Gewährung eines Druckkostenzuschusses
und ganz besonders dem Carl Winter Universitätsverlag, der durch sein wohl-
wollendes Entgegenkommen die Publikation dieser Arbeit ermöglicht hat.

---

[4] Doris ABLEITINGER-GRÜNBERGER, Die neunte Epode des Horaz. WS, N. F. 2/1968, S. 74 ff.

INHALTSVERZEICHNIS

I. DIE 7. EPODE: EIN PROLOG

Mit der 7. Epode nimmt die politische Dichtung des Horaz ihren Anfang. Formale Reife und Ausgewogenheit der Komposition haben häufig dazu geführt, dieses Gedicht zeitlich nach der 16. Epode anzusetzen[1], ja es geradezu als bedeutenden Fortschritt gegenüber diesem „noch unreifen" Werk aufzufassen[2]. Und doch muß Epode 7 — wir werden es im einzelnen zu zeigen haben[3] — notwendig Voraussetzung und geistige Grundlage der 16. Epode sein, die sich durch Tiefe und Reichtum der Gedanken, durch eine eigentümliche Doppelschichtigkeit ihrer Anlage und durch Kompliziertheit der Komposition einer Interpretation eher verschließt und viel weniger zugänglich erscheint, als die in ihrer Klarheit bestechende 7. Epode. Beide Gedichte sind aus dem politischen Chaos der Bürgerkriegsjahre nach der Schlacht bei Philippi entstanden[4] und wollen aus den geistigen Strömungen dieser Zeit verstanden sein.

Die Konzeption der 7. Epode ist einfach und setzt sich im wesentlichen aus zwei Komponenten zusammen, aus einer zweiteiligen Frage nach den Ursachen des Bürgerkrieges (V. 1–10 und V. 13/14) einerseits und ihrer Beantwortung durch den Dichter (V. 17–20) andererseits. Dieser Vorwurf wird von Horaz in dramatisch höchst wirkungsvoller Weise gelöst[5]. Das Gedicht beginnt mit einer Reihe emphatischer Fragen, die Horaz an eine imaginäre Versammlung römischer Bürger oder Soldaten richtet. Der Charakter der Emphase kommt gleich zu Beginn in der Verdoppelung des Fragepronomens „quo" zum Ausdruck[6]. Schon im ersten Vers kündigt

---

[1] Die Komm. Schütz, Nauck, Villeneuve, Heinze, Fr. Olivier, Röver-Oppermann, Plessis. — S. SUDHAUS, Jahrhundertfeier in Rom und messianische Weissagungen. RhM. 56/1901, S. 51, Anm. 1). — Hans DREXLER, a.a.O., S. 141. — R. LATSCH, Die Chronologie der Satiren und Epoden des Horaz auf entwicklungsgeschichtlicher Grundlage. Würzburg 1936, S. 99. — Harald FUCHS, Der geistige Widerstand gegen Rom in der antiken Welt. Berlin 1938. S. 10. — H. KEMPTER, Die römische Geschichte bei Horaz. Diss. München 1938, S. 18 f. — Hildebrecht HOMMEL, Horaz, der Mensch und das Werk. Heidelberg 1950, S. 31. — Rudolf HANSLIK, Die Religiosität des Horaz. Das Altertum 1/1955, S. 233. — J. H. WASZINK, Zur Odendichtung des Horaz. Gymn. 66/1959, S. 196. — Karl BÜCHNER, Römische Literaturgeschichte. Stuttgart ³1962, S. 310. — J. C. CLASSEN, Romulus in der röm. Republik. Phil. 106/1962, S. 200. — St. COMMAGER, The Odes of Horace. New Haven/London 1962, S. 161, Anm. 1). — H. J. KRÄMER, Die Sage von Romulus und Remus in der lateinischen Literatur. Synusia, Pfullingen 1965, S. 388 f., Anm. 71).

[2] H. DREXLER, a.a.O., S. 141.

[3] Die einzelnen sich im Laufe der Interpretation ergebenden Argumente, die zur Datierung der 7. Epode vor der 16. führen, können erst im Anschluß an die eingehende Behandlung beider Gedichte zusammengefaßt werden. Siehe bes. S. 62 ff.

[4] Bernhard KIRN, Zur literarischen Stellung von Horazens Iambenbuch. Diss. Tübingen 1935, S. 44. — Karl BARWICK, Zur Interpretation und Chronologie der 4. Ecloge des Vergil und der 16. und 7. Epode des Horaz. Phil. 50/1944, S. 58.

[5] Theodor PLÜSS, Das Iambenbuch des Horaz im Lichte der eigenen Zeit und unserer Zeit. Leipzig 1904, S. 44. (Im Folgenden: Iambenbuch.)

[6] Vgl. J. B. HOFMANN, Lateinische Umgangssprache. Heidelberg ³1951, S. 58 ff.

sich mit dem Beiwort „scelesti" ein Grundgedanke des Gedichtes an. Der Dichter bedeutet dem Leser, daß das Vorhaben der Römer ein Verbrechen, ein „scelus" sei, d. h. zugleich ein „impium factum"[7]. Den zweiten Schwerpunkt hat Horaz auf das Verbum „ruo" gelegt, das in ähnlichem Zusammenhang auch „zu Tode stürzen"

---

[7] Ilona OPELT, Die lateinischen Schimpfwörter und verwandte sprachliche Erscheinungen. Heidelberg 1965 führt diese Stelle unter dem Abschnitt „Politische Polemik, Allerweltsadjektiva" S. 161 an und deutet sie als nouthetetische Äußerung des Horaz, wobei jedoch keine parteipolitische Färbung vorliegt. Sie stellt somit dieses in der politischen Polemik selteneren Wort mit dem häufigeren „sceleratus" zusammen, das vgl. a.a.O., S. 159, wie übrigens „scelestus" und „scelus" auch, häufig als „Vorwürfe der Liebessprache, der Sklavensprache, der Invektive gegen einzelne Berufe und der Nouthetese" erscheint. Gewiß haben alle diese Beobachtungen ihre Richtigkeit, doch ist damit keineswegs die Ausdruckskapazität des Wortes „scelestus" bzw. stammverwandter Begriffe erschöpft, ebensowenig wie der Fundus, aus dem herausgewachsen sie in die differenziertesten Sphären zwischenmenschlicher, aber auch übermenschlicher Beziehungen Eingang gefunden haben. Ilona Opelt weist selbst a.a.O., S. 127, Anm. 5 — wobei sie mit dieser Feststellung keineswegs alleinsteht — auf die ethische, und es wäre hinzuzufügen, sakrale Färbung der von ihr in diesem Abschnitt behandelten Erscheinungen hin. Doch möchte ich die sich anschließende Begründung dieses Phänomens als Resultat einer der gesamtantiken Welt eigenen Einheit von Politik und Ethos nicht uneingeschränkt gelten lassen, da gerade eine zu verallgemeinernde Identifizierung des römischen Kulturbereichs mit anderen Kulturkreisen der antiken Welt speziell im Bereich des Konexes ethisch-sakraler Vorstellungen mit der politischen Realität sowie der für den Römer daraus erwachsenden Konsequenzen zu Verzeichnungen führen muß. Mag auch die starke ethisch sakrale Akzentuierung in der politischen Sprache — eine Erscheinung übrigens, die uns auch in der römischen Geschichtsschreibung, in den Korrespondenzen und philosophischen Schriften Ciceros und in der Dichtung der Zeit begegnet — mag diese Akzentuierung im politischen Leben, unabhängig von der tatsächlichen Verbindlichkeit der einschlägigen Werte für den jeweiligen Sprecher, bloße Taktik gewesen sein, so sagt gerade dieser Umstand wesentliches über das urrömische Grundgefühl der Politik und ihren Inhalten gegenüber aus. Die Schwierigkeiten, die sich bei der Erfassung des Begriffsumfanges eben jener Wörter ergeben, für die hier die Wortfamilie „scelus" exemplarisch genannt werden soll, zeigt gerade die wechselnde Zuweisung des Wortes „scelus" an die verschiedensten Bereiche: vgl. Th. MOMMSEN, Römisches Strafrecht. Darmstadt 1961, S. 9 und Anm. 4), J. HELLEGOUARC'H, Le vocabulaire Latin des relations et des partis politiques sous la république. Paris 1963, S. 166, Kurt LATTE, Römische Religionsgeschichte. München 1960, S. 48, Anm. 1). Im Gegensatz zu LATTE möchte ich mich der Auffassung von A. ERNOUT-A. MEILLET, Dictionnaire étymologique de la langue Latine. Paris 1967, S. 601 anschließen: „terme général, sans doute d'origine religieuse" und auf die ebendort angeführte Stelle bei Livius 22, 10, 5 verweisen (vgl. auch in den Tragödienfragmenten zwei Frgm. d. Accius, Ribb. poet. scaen. Rom. frgm. 219 und 600, ebendort unter ex incert. fab. 110, bei Morel Frgm. poet. Lat. S. 88, 7 (9) ein Frgm. aus der Smyrna des Cinna, weiters bei Ennius, Scen. 286 (Kindermord Medeas), 308, 327, 351 V., wo es sich jeweils um mythische Urfrevel handelt; vgl. auch die bekannte Stelle bei Cat. 64, 397. Selbst bei Plautus finden sich Stellen, die aus dem Inhalt oder dem wörtlichen Zusammenklang diesen ernsten Sinn erkennen lassen, vgl. z. B. zusammen mit „sacer" Bacch. 784, mit „peiiurus" bzw. „peiiurare" Pseud. 354 und 1083, besonders deutlich aber Capt. 762 und Merc. 208 f., wo sich die ernste Auffassung aus dem Inhalt ergibt). Dem widerspricht keineswegs der oft derb-komische Charakter dieser Ausdrücke, wie er meist in der Komödie begegnet, vielmehr deckt sich die Verbindung dieser beiden äußerlich konträren Ebenen mit einer vielen Sprachen gemeinsamen Erscheinung, daß gerade Wörter aus dem Sakralbereich als Fluch oder Schimpfwort Eingang

bedeuten kann[8], sodaß in diesem Wort der Gedanke eines unheilvollen Ausganges mitschwingen könnte.

In der folgenden Frage: „aut cur dexteris / aptantur enses conditi?", ist besonders die passive, oder besser mediale Form des Zeitwortes auffällig. Nicht die Römer greifen zu den Schwertern, sondern diese fügen sich wie von selbst in ihre Hände[9]. Darauf werden wir noch zurückkommen müssen. Der Ausdruck „enses conditi" weist auf eine diesem Ereignis vorangegangene Friedenspause hin[10].

In den V. 3/4 bringt Horaz mit schmerzlicher Ironie in Form einer weiteren Frage die Sprache auf die Opfer der Bürgerkriege. Die Ironie der Frage, ob zu geringe Verluste an Menschenleben die Ursache des neuen Krieges seien, wird besonders durch die Diskrepanz zwischen ihrem Inhalt und dem sprachlichen Ausdruck unterstrichen. Denn in dem Verbum „fusum est" werden geradezu Ströme von Blut, die sich über Land und Meer ergossen haben, bildhaft vor Augen geführt. Diese Verse sind auch für die Datierung der Epode von Wichtigkeit. Das Wort „campus" wird im Werk des Horaz nur einmal in der Bedeutung „Schlachtfeld" (C. III 8, 24) verwendet, meist tritt es in seiner landwirtschaftlichen Bedeutung auf, oder als Bezeichnung des Marsfeldes. Möglicherweise deutet dieses Wort mit seiner ländlichen Färbung im besonderen auf die blutigen Auseinandersetzungen während des Perusinischen Krieges hin. Als mehrfache Parallele drängt sich geradezu C. II 1, 29 f. „quis non Latino sanguine pinguior campus", auf. Noch um vieles bemerkenswerter erscheint jedoch die in der Wahl des Eigennamens „Neptunus" vorliegende Personifikation des Meeres. Darin kann man, wie bereits bemerkt wurde[11], eine mehr oder minder versteckte Anspielung auf Sex. Pompeius sehen, der es liebte, sich seiner göttlichen Abstammung zu rühmen, und den Beinamen „Neptunius" führte[12]. Der Gedanke gewinnt vor allem dadurch an Wahrscheinlichkeit, daß Horaz für gewöhnlich den Namen „Neptunus" nicht zur Bezeichnung des Meeres verwendet. Überall, wo wir ihn finden, bezeichnet er den Gott als Person, mit Ausnahme der epist. I 11, 10. Somit hätten wir an dieser Stelle einerseits eine Anspielung auf den Perusinischen Krieg, andererseits auf die blutigen Kämpfe mit Sex. Pompeius, wie sie vor dem Vertrag von Puteoli gegeben waren, und wie sie kurz nach dem Abschluß des Übereinkommens wiederaufgenommen wurden. Das „conditi enses" (V. 2) könnte sich gut auf die Atempause zwischen dem Vertrag von Puteoli und dem Beginn der neuerlichen Kämpfe beziehen. Demzufolge kämen wir mit der Entstehung des Gedichtes in eine Zeit um die Wende vom Jahr 39 auf das Jahr 38 v. Chr. Zu dieser Datierung, die auch von den meisten Interpreten vertreten

---

selbst in die derbste Umgangssprache gefunden haben, ohne ihren ursprünglichen Begriffsinhalt einzubüßen. Die hier an „scelestus" bzw. „scelus" exemplarisch dargestellte Auffassung gilt im folgenden in gleicher Weise für verwandte Begriffe, wie „impius", „sacer" etc.

[8] Siehe S. 34, Anm. 36.
[9] Komm.: Röver-Oppermann. Hubert TRÜMPNER, Horaz Epode 7 und Aeneis V 664—675. AU VIII, 1/1965, S. 100.
[10] Komm.: Villeneuve.
[11] H. Joachim KRÄMER, a.a.O., S. 388, Anm. 68. Mit Vorbehalt Ed. FRAENKEL, Horace, Oxford 1957, S. 56, Anm. 3.
[12] Siehe Heinze Epod. 9 ad V. 7.

wird[13], paßt die Erwähnung der Parther (V. 9)[14] ebenso wie die gesamte Stimmung der Epode.

In den folgenden Versen (5—10) fährt der Dichter mit der Frage fort, ob jenes Blutvergießen, dessen Ursache nicht in äußeren Kriegen zu suchen sei — Horaz nennt Hannibal und die Britannier — den „vota Parthorum", daß die Stadt durch eigene Hand zugrunde gehen möge, entgegenkommen solle. Zum ersten Mal wird der Gedanke an eine Selbstvernichtung ausgesprochen. Doch vorerst bleibt er ein Wunsch der Feinde, dessen Erfüllung in den Bereich der Möglichkeit gerückt erscheint. Die Wendung „vota Parthorum" ist an der genannten Stelle kaum als Ausdruck völliger Ohnmacht des besiegten Feindes zu verstehen. Selbst wenn man in Betracht zieht, daß den Parthern durch Ventidius Bassus im Herbst des Jahres 39 v. Chr. eine empfindliche Niederlage zugefügt worden war, so darf ihre Macht noch keineswegs als gebrochen angesehen werden. Der Wunsch, ja die Zuversicht, die Römer würden, durch innere Kämpfe geschwächt, den Parthern keinen entscheidenden Widerstand entgegensetzen können, diese Zuversicht war bereits im Jahr 40 v. Chr. zu Beginn des großen Partherfeldzuges von Q. Labienus ausgesprochen worden[15]. Andererseits wird man annehmen dürfen, daß sich die Furcht vor einer Erhebung des Ostens, die selbst Caesar nicht zu bannen vermochte[16], bei den Römern erst allmählich zu legen begann. Sie mag gerade zu Beginn des Jahres 38 v. Chr., als ein neuerlicher Panthereinfall drohte, die Gemüter bewegt haben, sodaß die Erwähnung dieses Feindes besonders dazu geeignet war, den Ernst der Lage in aller Klarheit darzulegen.

Mit V. 10 endet der erste Abschnitt der Epode. Er umfaßt das Faktum einer Wiederaufnahme des Bürgerkrieges, der als „scelus" gebrandmarkt wird, und seiner Folgen, die geradezu den Wünschen des schlimmsten Feindes entgegenkommen müssen. Formal schließt sich der Rahmen mit dem wie in V. 1 (dexteris) an das Versende gesetzte „dextera". Dieselbe Rechte, in die sich so bereitwillig die Schwerter fügen, dieselbe Rechte könnte auch die Stadt zerstören.

In V. 11—12 folgt zunächst ein Tiervergleich[17], der gewissermaßen als Gedankenbrücke in gedrängter Form die Aussage der V. 5—10 aufgreift, für diesen außer-

---

[13] Die Komm.: Schütz, Olivier (S. 72), Villeneuve, Heinze, Plessis. R. Latsch, a.a.O., S. 39. — H. Kempter, a.a.O., S. 36. — K. Barwick, a.a.O., S. 59. — Ed. Fraenkel, a.a.O., S. 56, Anm. 3 (mit Vorbehalt). — St. Commager, a.a.O., S. 161, Anm. 1. — H. J. Krämer, a.a.O., S. 362 und 388, Anm. 68. — Emanuele Castorina, La Poesia d'Orazio. Rom 1965, S. 253 f. In die Zeit des Perusinischen Krieges datieren: Orelli, C. Giarratano, in die Zeit von Philippi (42 v. Chr.) datiert Ritter.

[14] Trotz der großen Niederlage des von dem Römer Q. Labienus geführten Partherheeres am Taurus und Amanus gegen P. Ventidius Bassus im Jahre 39, rüsteten die Parther zu Beginn des Jahres 38 abermals eine Armee, um die in den Winterlagern verstreuten Römer zu überraschen, die bei einem sofortigen Angriff verloren gewesen wären. In dieser kritischen Lage gelang es wieder Ventidius Bassus durch eine Kriegslist den Angriff der Parther hinauszuziehen und seine eigenen Truppen zu konzentrieren.

[15] Cass. Dio 48, 24.

[16] Gottfried Erdmann, Die Vorgeschichte des Lukas- und Matthäusevangeliums und Vergils 4. Ekloge. Göttingen 1932, S. 92.

[17] Tiervergleiche finden sich besonders häufig bei Archilochos. Zu Archilochosreminiszenzen in der 7. Epode vgl. Fr. Olivier S. 73 ff.

menschlichen Bereich negiert und ihre Ungeheuerlichkeit, im Gegensatz gesteigert, zum Ausdruck bringt[18]. Kein Tier verfolgt die eigene Art (vgl. V. 9—10), vielmehr gilt seine Feindschaft nur einer fremden Gattung (vgl. 5—8)[19]. Während die Frage der V. 3—4 ihren ironischen Charakter nicht verleugnen kann, wendet sich nunmehr der Dichter mit den ernsten Worten: „furorne caecus an rapit vis acrior / an culpa?" an die Versammlung. Drei mögliche Ursachen der permanenten inneren Krise werden angeführt. „Furor caecus" entspricht dem griechischen μανία und bezeichnet den blinden Wahnsinn, der den Menschen unversehens überkommt[20], „vis acrior" fällt in den Bereich der φύσις und kommt in seiner Bedeutung, wie Heinze ausführt, dem Begriff der „violentia" sehr nahe[21]. Mit starker Betonung und ohne jedes Beiwort tritt „culpa" an das Ende der Frage, in der sich schrittweise die Ver-

[18] H. Trümpner, a.a.O., S. 101.

[19] Kurt Witte, Die Geschichte der römischen Dichtkunst. II, 2. Erlangen 1932, S. 30.

[20] Vgl. Heinze zur Stelle.

[21] Orelli, Ritter, Bentley und Plessis deuten „vis acrior" hingegen als göttliche Macht ebenso H. Kempter, a.a.O., S. 37, der „vis acrior" den Scholien zufolge als „fatalis quaedam necessitas" aufgefaßt wissen will. Durch diese und ähnliche Interpretationen würde jedoch der oben ausgeführte Gedankengang zerstört und darüberhinaus dem folgenden „culpa" seine Bedeutung genommen. Die von den oben genannten Kommentatoren gegebene Interpretation widerspricht auch dem Gebrauch und der Bedeutung von „acer" bei Horaz, das häufig eine heftige, grausame, kühne oder wilde Wesensart bei Mensch und Tier bezeichnet, wie etwa in Verbindung mit „miles" (C. III 5, 25 f.), „hostis" (epod. 6, 14), „Deiphobus" (C. IV 9, 22), „Spartacus" (epod. 16, 5), „Sulgius" (sat. I 4, 65), als Beiwort der „turba praedonum" (sat. I 2, 42 f.) oder als Epitheton des „aper" (epod. 2, 31 f.), des „canis" (epod. 12, 6) und des „lupus" (epod. 12, 25 f.). Es dient auch zur Bezeichnung eines grimmigen Gesichtsausdruckes im Kampf „voltus" (C. I 2, 39), zur Charakterisierung der „militia" (C. I 29, 2 — C. III 2, 2) oder aber zur Beschreibung des reißenden „Aufidus" (sat. I 1, 58); wiederholt dient es zur Bezeichnung eines heftigen Temperamentes an sich mit meist negativer Färbung, so indirekt durch einen Vergleich oder ein Bild: sat. II 7, 93 und C. I 33, 15, oder direkt in sat. I 3, 53 „caldior est: acris inter numeretur", sat. II 1, 1 „sunt quibus in satura videar nimis acer", epist. II 1, 165 (eher positiv) „et placuit sibi, natura sublimis et acer", epist. II 2, 29 „ieiunis dentibus acer" und besonders in der Charakteristik des Achill A. P. 121 „inpiger, iracundus, inexorabilis, acer". Einmal begegnet es sogar als Beiwort einer spezifisch menschlichen und zwar negativen Eigenschaft, der „invidia" (sat. I 3, 60). Alle genannten Stellen und besonders die letzte legen die Annahme nahe, daß mit „vis" eine menschliche Eigenschaft gemeint ist, die durch den Komparativ von „acer" eine betont negative Färbung erhält. Zu „vis" vergleiche besonders C. I 16, 16, C. III 4, 65 ff., ins positive gewendet IV, 4, 29 ff., bes. V. 33 ff. und vor allem C. IV 15, 18 ff., Verse, die in der Zusammenstellung von „furor civilis" mit dem hier ganz indifferenten und in seinem Inhalt weiten Begriff „vis" zunächst wörtlich an die 7. Epode anklingen. Als drittes kommt der Begriff „ira" hinzu, eng verbunden mit der Fiktion, daß nicht der Mensch selbst, sondern die ihn beherrschende und treibende Kraft der „ira" die Schwerter schmiedet und Krieg über die Städte bringt, eine Fiktion, die sich sehr eng an den Vorstellungskreis der 7. Epode anschließt. Der Begriff „ira" ist ebenso wie der Begriff „culpa" dem Bereich menschlicher Verantwortlichkeit zuzuordnen. K. Witte, Gesch. d. röm. Dichtk. II 2, S. 30 bezieht „vis acrior" auf V. 11 f. Ich kann mich der Deutung R. W. Carrubbas, Curse on the Romans. TAPhA 97/1966, S. 33 nicht anschließen, der in den drei genannten Begriffen (V. 13/14) keine Alternativen sondern Stufen eines Gedankens sehen will. „Culpa" als das „scelus fraternae necis" allein des Romulus führt bedingt durch „vis acrior" = „acerba fata" zum „furor caecus", dem Bürgerkrieg. Carrubba übersieht, daß die Römer nicht nur „victims of a kind of slaughter of the

antwortlichkeit des Menschen verdichtet und in diesem letzten Begriff ihre größte Konzentration erfährt. Mit der knappen, sprachlich harten Wendung „responsum date"[22] schließt die Rede. Die prägnante Kürze der letzten Worte scheint von Horaz beabsichtigt zu sein, um das entscheidende Wort „culpa" nicht unnötig weit von der damit verbundenen Reaktion der Menge zu trennen. Denn einer plötzlichen Erkenntnis gleich, dringt der Begriff der „culpa" in ihr Bewußtsein ein und läßt sie betroffen schweigen. Der „albus pallor" wird zum sichtbaren Ausdruck ihrer Schuld[23]. Hans Drexler hat diese Verse mit Recht als den größten Effekt des Gedichtes bezeichnet[24]. Die kausalen Zusammenhänge scheinen in einem Spiel mit Ursache und Wirkung merkwürdig gedehnt. Während Horaz in der versammelten Menge beinahe unbewußt das Wissen um eine schicksalhafte Schuld erweckt, findet er selbst in einem sekundären Akt durch ihre Mienen und ihr Schweigen zu jener Erkenntnis, mit der er die Epode schließt.

Die V. 17—20 gehören zu jenen Stellen im Werk des Horaz, die in der Forschung besondere Beachtung gefunden haben. Sie bieten uns eine in dieser Form einzigartige, religiös-mythische Schau der Geschichte, die in ihrem pessimistischen Grundzug an eine für uns faßbare, ganz bestimmte Richtung der zeitgenössischen Historiographie anknüpft, deren Hauptvertreter Sallust war. Während jedoch Sallust, der besonders in seinem Spätwerk Zwietracht und Bürgerkriege als ein den Römern auferlegtes Schicksal ansieht, das nur unter dem Druck äußerer Feinde für kurze Zeitspannen scheinbar überwunden wird[25], während Sallust den ständigen Verfall des Reiches aus einem, wie er es selbst (hist. Frgm. 7 M.) nennt, „vitium humani ingenii" zu erklären sucht[26], hat Horaz „mit visionärer Kraft die Mordtat des Romulus als Ursprung der römischen Geschichte begriffen und dadurch das mit Sallust gemeinsame Geschichtsbild überhöht und symbolisch verdichtet"[27].

Mit der in Epode 7 vorliegenden negativen Auffassung der römischen Gründungssage steht Horaz bereits in einer, wenn auch kurz dauernden Tradition, die zu verfolgen man sich vielfach bemüht hat. Die Problematik, die mit dem Ursprung dieser Sage verknüpft ist, kann uns hier nicht im einzelnen beschäftigen[28], wir

---

innocent" (S. 34) oder „the inheritors of the moral guilt of Romulus" sind, sondern, wie die formale, sprachliche und inhaltliche Gleichsetzung des ersten Brudermordes mit den Bürgerkriegen deutlich macht, selbst zu „Tätern" und damit schuldig werden, so daß der Begriff „culpa", der auch sprachlich isoliert erscheint, zur gedanklichen Achse des Gedichtes wird.

[22] R. LATSCH, a.a.O., S. 98.

[23] Die Komm. Heinze, Röver-Oppermann. Otto SEEL, Römertum und Latinität. Stuttgart 1964, S. 100 verweist auf Sall. Cat. 15, 4 f.

[24] H. DREXLER, a.a.O., S. 152.   [25] C. KOCH, a.a.O., S. 170.

[26] K. BARWICK, a.a.O., S. 66.   [27] H. J. KRÄMER, a.a.O., S. 364.

[28] Siehe zu diesem Thema: C. Joachim CLASSEN, Zur Herkunft der Sage von Romulus und Remus. Hist. 12/1963, S. 447—457. Weitere Literaturangaben bei H. J. KRÄMER, a.a.O., S. 380 ff., Anm. 10, neuerdings H. STRASBURGER, Die Sage von der Gründung Roms. SAW Heidelberg phil./hist. Kl. 1968, 5. Abh., der die später propagandistisch wirksamen negativen Züge der Romulus-Sage als bereits in ihrer Entstehung latent Vorhandenes zu erklären sucht, wobei er die Ursache hiefür in den politischen Spannungen zwischen Griechenland und der neuen, aufstrebenden Großmacht zur Zeit der endgültigen Sagengestaltung sieht.

wollen uns auf einige mögliche Quellen des negativen Romulusbildes beschränken, um die Bedeutung der horazischen Geschichtsauffassung in dieser frühen Epode würdigen zu können. Die älteste für uns greifbare Form der Sage liegt in den Annalen des Ennius vor. Dort tritt Romulus, durch urtümliche Härte ausgezeichnet, als Wahrer und Schützer altrömischer „disciplina" auf, der Remus in verhängnisvoller Weise zuwidergehandelt hat[29]. Die latente Problematik der Sage wird erst offenbar, als der Name des Romulus in republikanischer Zeit gewissermaßen als Schlagwort im politischen Kampf der Parteien erscheint[30]. Zum ersten Mal läßt sich dieser Vorgang für uns in der Propaganda gegen Sulla konkret fassen. Der Name Romulus findet stellvertretend für den Begriff „tyrannus" Eingang in die politische Fehde dieser Zeit[31]. Dieses Romulusbild dürfte seinen Ursprung in der rationalisierenden Tendenz der jüngeren Annalistik des 1. Jh. v.Chr. haben, die zu einer Vermenschlichung und damit unwillkürlich zu einer Aufdeckung negativer Elemente und der damit verbundenen Problematik der älteren Sagentradition führen mußte[32]. Diese Tendenz läßt sich im Staatlich-Politischen bei Cicero weiter verfolgen (De off. III, 41). Bei Cicero findet sich auch die erste Erwähnung des „parricidium Romuli"[33]. Bemerkenswerterweise begegnet jedoch gerade bei ihm der erste Versuch einer Läuterung des Romulusbildes[34] und parallel dazu zum ersten Mal die Gleichsetzung des Romulus mit dem altrömischen Gott Quirinus (rep. 2, 20, leg. 1, 3)[35]. Der Zeitpunkt dieser höchst merkwürdigen Identifizierung des Stadtgründers mit einem Gott ist problematisch[36]. C. J. Classen spricht sich konkret für eine Urheberschaft Caesars zur Zeit seines Amtes als Pontifex Maximus aus, da er sich in seinen letzten Jahren einer bewußten Romulusimitation befleißigt haben soll[37]. H. Wagenvoort tritt für eine parallele Entwicklung der Synthese Romulus/Quirinus mit der negativen Propaganda des „parricidium Romuli" ein[38]. Jedenfalls war diese Synthese zur Zeit des Horaz bereits vollzogen. Trotz der Bemühungen Ciceros hielt

---

[29] H. J. KRÄMER, a.a.O., S. 356 f.

[30] A. ALFÖLDI, Die Geburt der kaiserlichen Bildsymbolik. Kleine Beiträge zur Entstehungsgeschichte 2. Der neue Romulus MH 8/1951, S. 190 ff., weist auf die in der Zeit begründeten Tendenzen hin, die ein Eindringen der Romulusgestalt in die politische Propaganda begünstigten. Erste Ansätze möglicherweise bereits bei Ennius zur Verherrlichung des Scipio, vgl. S. 204; zu Sulla als neuer Romulus vgl. S. 205 f.

[31] C. J. CLASSEN, Romulus in der römischen Republik. Phil. 106/1962, S. 183.

[32] C. J. CLASSEN, a.a.O., S. 184. — H. J. KRÄMER, a.a.O., 357 f.

[33] Henrik WAGENVOORT, The crime of fratricide, Studies in Roman Lit., Leiden 1956, S. 174.

[34] A. ALFÖLDI, a.a.O., S. 206, bringt das positive Romulusbild bei Cicero mit den Bestrebungen des Pompeius in Zusammenhang.

[35] C. J. CLASSEN, a.a.O., S. 189 ff.

[36] Zu dieser Problematik vgl. auch Walter BURKERT, Caesar und Romulus-Quirinus, Hist. 11/1962, S. 358 ff.

[37] C. J. CLASSEN, a.a.O., S. 192 ff. — Zu den Bemühungen einer Romuluserneuerung von Seiten Caesars siehe neuerdings Gerhard DOBESCH, Caesars Apothese zu Lebzeiten und sein Ringen um den Königstitel. Untersuchungen über Caesars Alleinherrschaft. Wien 1966, der die Romulus-Quirinus Phase bei Caesar sehr früh ansetzt und ihr den Versuch einer Annäherung an Juppiter folgen läßt.

[38] H. WAGENVOORT, a.a.O., S. 182.

sich die negative Tendenz in der Auffassung des Romulusmythos weiterhin und fand bezeichnenderweise in der Ciceroinvektive des Sallust ihren Niederschlag[39].

Karl Barwick vertritt nunmehr die Meinung, daß bereits Sallust in einer Konkretisierung des „vitium humani ingenii" den Brudermord des Romulus als unheilvolles Symbol an den Anfang der römischen Geschichte gesetzt habe[40]. Diese Annahme läßt sich infolge der lückenhaften Überlieferung der Historien weder beweisen noch widerlegen. Selbst wenn die in der 7. Epode niedergelegte Vorstellung bei Sallust auf historischer Ebene bereits vorgegeben war, die Transponierung in den religiös-sakralen Bereich ist zweifellos Eigentum des Horaz[41]. Wir werden im Laufe dieser Arbeit noch öfters mit einer ähnlichen Entwicklung konfrontiert werden. Über die Transponierung auf eine sakrale Ebene hinaus, ist jedoch, wie Hans Kempter und besonders H. Joachim Krämer in eindrucksvoller Weise gezeigt haben[42], die gesamte Auffassung und Gestaltung des Motives bei Horaz außergewöhnlich. Der Gedanke eines über Jahrhunderte fortwirkenden Fluches, der nicht, wie häufig bei den Griechen, auf ein Geschlecht beschränkt ist, sondern das ganze Volk betrifft, und der zu einer ständigen Erneuerung der Urschuld und damit in letzter Konsequenz zur Selbstzerstörung führt — doch dieser Gedanke bleibt hier unausgesprochen —, geht über alles Vergleichbare im Bereich griechischer und römischer Literatur hinaus. Otto Seel war es vor allem, der im Rahmen seines Buches „Römertum und Latinität" auf die Berührungspunkte der 7. Epode des Horaz mit alttestamentarischen Vorstellungen verwiesen hat[43]. Er spricht in diesem Zusammenhang von einer „eigentümlichen Affinität und Wesensähnlichkeit zwischen dem Gottesvolk Israel und dem populus Romanus, von einer Art innerer Verwandtschaft, welche diese beiden Völker miteinander zu verbinden und sie gemeinsam gegen die ganz andere griechische Art abzuheben scheint"[44]. Unter den konkreten Beispielen für diese Affinität nennt Seel unter anderem die Aussetzung des Moses im Nil und die des Romulus und Remus im Tiber, sowie die Zweifelhaftigkeit der beiden Mütter Sarai-Sara und Rhea Silvia. „Gar nicht zu übersehen ist das gemeinsame ‚Motiv' des am Anfang der geschichtlichen Erinnerung stehenden Brudermordes und der sich von daher leitenden solidarischen Urschuld, Kain und Abel dort, Romulus und Remus hier." Doch über diesem Ereignis steht jeweils ein göttlicher Wille, in beiden Fällen ist der Überlebende der Auserwählte des Gottes. Er ist daher „sacer", verflucht und geweiht, zugleich[45]. Die Berührungspunkte allein in dieser Thematik sind zahlreich[46], doch muß einschränkend bemerkt werden, daß sich

---

[39] Sall., Invect. 7: oro te, ROMULE ARPINAS, qui egregia tua virtute omnis Paulos, Fabios, Scipiones superasti, quem tandem locum in hac civitate obtines?

[40] Karl BARWICK, a.a.O., S. 66.

[41] C. KOCH, a.a.O., S. 171. — H. J. KRÄMER, a.a.O., S. 363.

[42] H. KEMPTER, a.a.O., S. 40. — H. J. KRÄMER, a.a.O., S. 363 ff.
Vgl. auch St. COMMAGER, a.a.O., S. 163.

[43] Otto SEEL, a.a.O., S. 99 ff.   [44] Otto SEEL, a.a.O., S. 105.

[45] Otto SEEL, a.a.O., S. 111 ff.

[46] Auch auf die Vorstellung einer Erbsünde, wie sie im jüdischen Religionsdenken verwurzelt ist, wurde verwiesen: H. KEMPTER, a.a.O., S. 40, H. J. KRÄMER, a.a.O., S. 364, Otto SEEL, a.a.O., 114.
Doch ist die Erbsünde nicht wie der auf den Römern lastende Fluch an den Ort des ersten Frevels gebunden. Siehe S. 43, Anm. 1 und S. 45.

im Alten Testament kein der siebenten Epode entsprechendes Fortwirken der Kainstat feststellen läßt[47], wie man den Ausführungen Otto Seels zufolge vermuten könnte. Wenn somit der Blutschuldgedanke in der bei Horaz vorliegenden Gestalt zwar nicht unmittelbar von der Kainstat abgeleitet werden kann, so mag trotzdem unbestritten bleiben, daß diese Vorstellung im jüdischen Religionsdenken beheimatet ist. Dafür lassen sich mehrfach Beispiele erbringen, so etwa im Zusammenhang mit der Gründung von Freistädten, Mos. 5, 19, 10 *Καὶ οὐκ ἐκχυθήσεται αἷμα ἀναίτιον ἐν τῇ γῇ σου ᾗ κύριος ὁ θεός σου δίδωσίν σοι ἐν κλήρῳ, καὶ οὐκ ἔσται ἐν σοὶ αἵματι ἔνοχος* oder Mos. 5, 21, 8 *ἵλεως γενοῦ τῷ λαῷ σου Ἰσραήλ, οὓς ἐλυτρώσω, κύριε, ἐκ γῆς Αἰγύπτου, ἵνα μὴ γένηται αἷμα ἀναίτιον ἐν τῷ λαῷ σου Ἰσραήλ, καὶ ἐξιλασθήσεται αὐτοῖς τὸ αἷμα.* Ähnliche Gedanken finden sich bei Mos. 4, 35, 33 *καὶ οὐ μὴ φονοκτονήσητε τὴν γῆν, εἰς ἣν ὑμεῖς κατοικεῖτε, τὸ γὰρ αἷμα τοῦτο φονοκτονεῖ τὴν γῆν, καὶ οὐκ ἐξιλασθήσεται ἡ γῆ ἀπὸ τοῦ αἵματος τοῦ ἐκχυθέντος ἐπ' αὐτῆς, ἀλλ' ἐπὶ τοῦ αἵματος τοῦ ἐκχέοντος·* Diese Vorstellung wurde von Matthäus auch in das Neue Testament übernommen, wenn er das jüdische Volk auf die Worte des Pilatus: „*ἀθῷός εἰμι ἀπὸ τοῦ αἵματος τοῦ δικαίου τούτου· ὑμεῖς ὄψεσθε.*" sagen läßt: „*Τὸ αἷμα αὐτοῦ ἐφ' ἡμᾶς καὶ ἐπὶ τὰ τέκνα ἡμῶν.*" (Matth. 27, 24/25).

Wenn im Vorangegangenen darauf hingewiesen wurde, daß sich in der römischen bzw. griechischen Literatur kein vergleichbares Beispiel finden läßt, so muß doch eine Stelle ausgenommen werden. Bei Hesiod, bei dem sich auch im Zusammenhang mit der 16. Epode manche Berührungspunkte ergeben werden[48], begegnet in den *Ἔργα καὶ Ἡμέραι* eine der Kollektivschuld des Horaz weitgehend ähnliche Vorstellung mit dem einzigen Unterschied, daß diese Schuld nicht aus einer Bluttat, sondern allgemeiner aus einem Frevel resultiert: V. 238—41

> *οἷς δ' ὕβρις τε μέμηλε κακὴ καὶ σχέτλια ἔργα,*
> *τοῖς δὲ δίκην Κρονίδης τεκμαίρεται εὐρύοπα Ζεύς.*
> *πολλάκι καὶ ξύμπασα πόλις κακοῦ ἀνδρὸς ἐπηῦρεν,*
> *ὅς τις ἀλιτραίνῃ καὶ ἀτάσθαλα μηχανάαται.*

Man wird daher bei der Beurteilung einer eventuellen Abhängigkeit des Horaz sehr vorsichtig sein müssen. Möglicherweise handelt es sich trotz der wenigen konkreten Quellen, die wir besitzen, bei dieser und ähnlichen Vorstellungen doch um ein in der Antike allgemein bekanntes und verbreitetes Ideengut. Was nunmehr die Originalität des Horaz betrifft, hat H. J. Krämer auf einen charakteristischen Zug des in der 7. Epode vorliegenden Geschichtsmythos hingewiesen, der auch in orientalischen oder jüdischen Quellen nicht zu finden ist, „daß der wiederholte Frevel mit der Sühne selbst zusammenfällt, weil er sich wesentlich gegen das Eigene und Verwandte kehrt"[49]. Zwar läßt sich der Bürgerkrieg als eine Form göttlicher Bestrafung

---

[47] H. Strasburger, a.a.O., S. 35 weist auch darauf hin, daß Kain der heimatlose Flüchtling und Kain der Stadtgründer (Mos. 1, 4, 17) ursprünglich nicht derselben Sage angehört haben können. Dazu kommt m. E., daß der Brudermord mit der Stadtgründung Kains in keinem ursächlichen Zusammenhang steht.

[48] Siehe S. 70 f.

[49] H. J. Krämer, a.a.O., S. 364.

z. B. bei Jes. 19, 2 nachweisen[50], doch steht dieser Gedanke dort in völlig anderem Zusammenhang. Es dürfte sich demzufolge in der 7. Epode um eine geradezu ideale Synthese eigener aus dem Chaos der politischen Lage entspringender Eindrücke und traditioneller, im wesentlichen sakraler Vorstellungen handeln, die somit zu einem Sinnbild echter Horazischer Originalität wird. Die Ansicht H. Kempters, der in den Schlußversen des Gedichtes keinen Ausdruck innerer Überzeugung des Horaz sehen will, vor allem in Anbetracht des „verstandesmäßigen Denkens des Dichters", sondern die resignierende Feststellung, daß von rationaler Warte aus das Wüten der Römer unerklärlich sei, muß zweifelhaft erscheinen[51], da wir ähnlichen sakralen Aspekten immer wieder in der politischen Betrachtungsweise des Horaz begegnen werden.

Formal fällt in der 7. Epode einerseits die Vorliebe des Dichters für die Verwendung rhetorischer Kunstmittel auf[52], die uns in der 16. Epode wieder begegnen wird, andererseits die Ausgewogenheit der Komposition, die sich am besten in den überaus kunstvollen Bezügen zwischen Anfang und Ende des Gedichtes offenbart und im Sprachlichen klar zum Ausdruck kommt[53]. In der Anrede „scelesti" (V. 1) scheint das „scelus fraternae necis" (V. 18) vorweggenommen zu sein. Auch die mediale Verbalform „aptantur" (V. 2) erhält vom Ende der Epode aus gesehen ihren besonderen Sinn. Sie drückt die „fatalis necessitas" des geschilderten Vorganges aus, die in V. 17 mit der Wendung „acerba fata Romanos agunt" angedeutet wird. Die gesamte Aussage am Ende des Gedichtes scheint jedoch bereits in den V. 3/4 durch bewußte Wortanklänge vorweggenommen. Dem „parumne sanguinis" (V. 3/4) entspricht V. 20 „sacer nepotibus cruor", dem „Latini" (V. 4) „inmerentis Remi" (V. 19), dem „campis atque Neptuno super" (V. 3) „in terram" (V. 19) und dem Zeitwort „fusum est" (V. 4) das Verbum „fluxit" (V. 19), wobei „sanguinis" bzw. „cruor" jeweils prägnant an das Ende der Periode tritt. Durch diese Parallelen in Wortwahl und Satzbau kommt gewissermaßen die ständige Wiederholung des ersten Brudermordes auch formal zum Ausdruck.

Abschließend sei noch einmal darauf hingewiesen, daß die 7. Epode die Erkenntnis eines Frevels als Ursache des Bürgerkrieges zum Inhalt hat. Die Folgen dieser in mythischer Vorzeit begründeten Urschuld bestehen in einer zwangsläufigen Wiederholung der ersten Bluttat. Über diese Feststellung geht die Epode nicht hinaus. Der Dichter läßt es offen, ob eine Entsühnung möglich wäre, oder ob der Fluch schließlich zu einer endgültigen Selbstvernichtung der Römer führen muß, wie man bei konsequenter Fortführung des in der Wendung „acerba fata Romanos agunt" oder in der medialen Verbalform „aptantur" anklingenden Gedankenganges annehmen könnte. Man sollte jedoch nicht übersehen, daß der Dichter selbst auf eine

---

[50] καὶ ἐπεγερθήσονται Αἰγύπτιοι ἐπ' Αἰγυπτίους, καὶ πολεμήσει ἄνθρωπος, τὸν ἀδελφὸν αὐτοῦ, καὶ ἄνθρωπος τὸν πλησίον αὐτοῦ, πόλις ἐπὶ πόλιν καὶ νομὸς ἐπὶ νομόν. Der Bürgerkrieg als göttliche Strafe findet sich auch bei römischen Schriftstellern. Vgl. Karl RUPPRECHT, Gott auf Erden. Würzburger Jbb. 1/1946, S. 68 unter den angeführten Stellen bes. Cic., Marcell. 18.

[51] H. KEMPTER, a.a.O., S. 41.

[52] Komm.: Olivier (S. 73). Em. CASTORINA, a.a.O., S. 254.

[53] R. W. CARRUBBA, TAPhA 97/1966, S. 33 kommt zu ähnlichen kompositorischen Feststellungen.

konkrete Schlußfolgerung bewußt verzichtet. Die Frage nach Möglichkeit oder Un-
möglichkeit eines Ausweges aus dem Bannkreis des Fluches wird mit keinem Wort
berührt. Sie gehört nicht mehr zur Thematik dieses Gedichtes. Es wäre daher unrichtig, dem Dichter vorgreifen zu wollen und in den Schlußversen der 7. Epode
wie H. J. Krämer einen Ausdruck absoluter Ausweglosigkeit zu suchen[54], oder aber
mit Heinze und H. Kempter in diesen Versen eine Mahnung an die Römer zur
Selbsterkenntnis zu sehen[55]. Keine der beiden Folgerungen läßt sich aus der 7. Epode
mit Sicherheit ableiten, da Horaz selbst es vermieden hat, konkrete Schlüsse aus der
von ihm gewonnenen Erkenntnis zu ziehen. Von einer unabwendbaren Selbstvernichtung und von der Möglichkeit eines Ausweges spricht der Dichter erst in
Epode 16, die den Gedankengang von Epode 7 fortsetzt und konsequent zu Ende
führt.

---

[54] H. J. KRÄMER, a.a.O., S. 389, Anm. 75. Vgl. auch R. HANSLIK, a.a.O., S. 233.
[55] Heinze in der Einleitung zur 7. Epode. — H. KEMPTER, a.a.O., S. 41.

II. DIE 16. EPODE

1. Interpretation

„Horaz' sechzehnte Epode gehört zu seinen schönsten Gedichten. Gleich hervorragend durch ihre formelle (metrische und stilistische) Vollendung wie durch Schwung und Männlichkeit, Abrundung und Klarheit verdient sie ganz besonders eine erschöpfende Interpretation und eine genaue Datierung."[1] Diese Worte Franz Skutschs wollen wir an die Spitze der Interpretation eines der bedeutendsten Gedichte des Horaz stellen.

a) *Einleitung: V. 1—8*

Die Verse 1—8 kann man als Einleitung der Epode bezeichnen. In den zwei ersten Versen wird mit horazischer Prägnanz die schreckliche politische Lage während der Bürgerkriege skizziert.

Die Bedeutung von „aetas" in V. 1 ist weitgehend problematisch. Zumeist wird es in unserem Zusammenhang mit „Geschlecht" oder „Generation" übersetzt. Orelli tadelt diese Übersetzung in seinem Kommentar: „Altera iam aetas inde a Sulla agitur inter bella domestica[2]. Noli explicare cum Vossio: Schon das zweite Geschlecht wird verheert durch Bürgerbefehdung; cum v. terere addita temporis significatione molestiae aut frustra consumptae diurnitatis dumtaxat notionem habeat, non vastationis atque excidii". Aetas soll demnach einen bestimmten, abgegrenzten Zeitraum, beginnend vom ersten Bürgerkrieg unter Marius und Sulla, bedeuten. Tatsächlich stellt es nun in der Antike eine Zeitangabe dar, die allerdings meist in einer ganz spezifischen Relation zum menschlichen Leben steht; doch ist der zeitliche Rahmen überaus variabel. Servius schreibt ad Georg. III, 190: „aetatem plerumque generaliter dicimus pro anno et pro triginta, et pro centum et pro quovis tempore". Ähnliches findet sich bei Isid. orig. 5, 38, 3: „Aetas plerumque dicitur et pro uno anno, ut in annalibus, et pro septem, ut hominis, et pro centum, et pro quovis tempore. unde et aetas tempus, quod de multis saeculis instruitur"[3]. Wir sehen daraus, daß „aetas" keineswegs ein für einen sicher begrenzten Zeitraum gebräuchlicher Begriff ist.

---

[1] Franz Skutsch, Sechzehnte Epode und vierte Ekloge. (NJb. 23/1909) abgedruckt in: Kleine Schriften, S. 363.

[2] Unter Beibehaltung der Bedeutung „Generation" verlegen die „prior aetas" auch in die Zeit des Marius und Sulla: Die Komm.: Ritter, Schütz, Nauck-Hoppe, Wickham, Plessis. H. Drexler, a.a.O., S. 120.
Die Unvereinbarkeit dieser Übersetzung mit der oben zitierten Datierung wird im folgenden noch zu zeigen sein; K. Witte, Gesch. d. röm. Dichtk. II, 2, S. 67 f., unterscheidet zwei Zeitalter römischer Bürgerkriege. „Das eine ist das des Marius und Sulla, den Beginn des anderen setzt Horaz in das Jahr 63."

[3] Vgl. ThLL Sp. 1123, 11 ff.

Im „Lexicon totius Latinitatis" von Forcellini findet sich zu diesem Problem eine nicht uninteressante Zusammenstellung[4]: „Cic. Cato 31 de Nestore: „Tertiam iam aetatem hominum vivebat", h. e. trecentesimum agebat annum, ut poetae narrant, et in his Ovid. met. 12, 187 f. . . . vixi annos bis centum; nunc tertia vivitur aetas. Alii tamen volunt, has Nestoris aetates singulas triginta annis plus minus constare: quo sensu Plin. 16, 237: „fuisse autem eum tradunt filium Amphiarai qui apud Thebas obierit una aetate ante Iliacum bellum", h. e. annis triginta septem ut Harduinus ostendit. Servius etiam ad Georg. III, 190 docet, aliquando aetatem triginta annorum spatium significare." Im Anschluß daran wird die Horazstelle Epod. 16, 1 zitiert. „Aetas" scheint demnach zuweilen auch unabhängig vom Generationenbegriff einen Zeitraum von 30 Jahren umfassen zu können. Unter dieser Voraussetzung betrachtet, würde die „prior aetas", vom Beginn des ersten Bürgerkrieges, also etwa vom Jahre 88 v. Chr. gerechnet, ungefähr bis in das Jahr 58 v. Chr. reichen. Zur Zeit des Horaz stünde man tatsächlich schon in den zweiten 30 Jahren, also in der „altera aetas". Doch bei näherer Betrachtung weist die oben zitierte Zusammenstellung Forcellinis einige Schönheitsfehler auf. Die erwähnte Cicerostelle Cato 31: „iam enim tertiam aetatem hominum vivebat", ist textkritisch nicht einwandfrei; neben „vivebat" erscheint in den Codices nämlich auch „videbat", das die meisten Herausgeber vorgezogen haben[5]. Die Stelle wäre also etwa folgendermaßen zu übersetzen: „Er sah bereits die dritte Generation . . ." Diese Äußerung Ciceros läßt sich auch mythologisch untermauern: Herakles, so wird uns berichtet, tötet in einem Feldzug gegen Pylos König Neleus mit allen seinen Söhnen bis auf Nestor, der zu dieser Zeit im Jünglingsalter steht. Später zieht Herakles gegen Troja, tötet König Laomedon und vermählt dessen Tochter Hesione mit seinem Waffengefährten Telamon, dem Bruder des Peleus. Auf Bitten Hesiones bleibt ihr Bruder Podarkes, der spätere König Priamos, vom Tod verschont, dessen Söhne, Paris und Hektor, auf seiten der Troer der Generation des Aiax und Achill angehören. Nestor selbst dürfte daher in die Generation des Priamos einzureihen sein. Die beiden Söhne des Telamon sind Aiax aus erster Ehe und Teukros aus zweiter Ehe; der Sohn seines Bruders Peleus ist bekanntlich Achill, alles Helden aus dem trojanischen Krieg. Auch deren Söhne kämpfen bereits wieder vor Troja, wie z. B. Neoptolemos, der Sohn des Achill und der Deidameia[6]. Nestor hat demnach tatsächlich drei Generationen gesehen[7].

---

[4] Bd. I s. v. *aetas* 2) [die Zählung bei den Autorenzitaten wurde nach neueren Ausgaben geändert]. Vgl. auch die ThLL Sp. 1135 III A, 1, a) angeführten Stellen.

[5] Orelli schreibt „vivebat". „videbat" haben u. a. Mueller, Teubner-Leipzig 1904, Simbeck, Teubner 1917, Falconer, London 1953, P. Wuilleumier, Paris 1961.

[6]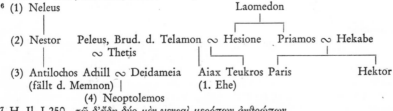

[7] H. Il. I 250 τῷ δ' ἤδη δύο μὲν γενεαὶ μερόπων ἀνθρώπων
ἐφθίαθ', οἳ οἱ πρόσθεν ἅμα τράφεν ἠδ' ἐγένοντο

Bei Ovid handelt es sich möglicherweise um eine poetische Übersteigerung des im Mythos oft besungenen Alters des Nestor oder um ein Mißverständnis der literarischen Quelle[8]. Bei der von Forcellini zitierten Stelle des Plinius (16, 237) liegt der Fall ähnlich wie bei der eben besprochenen Cicerostelle; auch hier dürfte „aetas" eine Generation bedeuten[9].

Dieser Zeitraum mag sich im gegebenen Fall etwa mit 30—37 Jahren decken, wie überhaupt die Abgrenzung von „aetas" mit 30 Jahren in der zwischen zwei Generationen liegenden Zeitspanne begründet sein mag, doch ist er nicht völlig vom Generationsbegriff abstrahiert und als unabhängiger Zeitabschnitt verabsolutiert. Diese Verabsolutierung von „aetas" in der Bedeutung von 30 Jahren läßt sich nirgends nachweisen, müßte aber an dieser Stelle bei Horaz angenommen werden, wenn wir die „prior aetas" etwa von 88—58 v. Chr. ansetzen. Denn nach Generationen gezählt, kämpfte im ersten Bürgerkrieg die Generation des Marius und Sulla, ihr folgte im zweiten Bürgerkrieg die des Caesar und Pompeius und im dritten die Generation des Octavian, der auch Horaz selbst angehört. Wenn wir aus dem oben angeführten Grund „aetas" in der absoluten Bedeutung von 30 Jahren ablehnen, so kann mit „prior aetas" nicht die Generation des Marius und Sulla gemeint sein — denn dann wäre die Generation des Horaz nicht die zweite sondern bereits die dritte nach dem 1. Bürgerkrieg. — Vielmehr kann diese „prior aetas" nur die im Bürgerkrieg zwischen Caesar und Pompeius kämpfende Generation sein[10], die „altera aetas" dagegen die des Octavian, des jungen Sex. Pompeius, des Agrippa, des Maecenas, mit einem Wort die Generation des Dichters[11]. Sie hat schon zum Teil bei Philippi mitgekämpft, auf der Seite des Brutus neben Horaz z. B. der junge Cicero, um einen von vielen zu nennen. Die Ansiedlungen der Veteranen Caesars im Jahre 41—40 v. Chr., vor Beginn und während des Perusinischen Krieges, stellen eine historisch faßbare Trennungslinie dieser beiden Generationen dar. Möglicherweise könnte dieses historische Ereignis als terminus post quem zur Datierung der Epode ein kleines beitragen, ein Beweis für diese Datierung kann es naturgemäß nicht sein; das hieße den Bogen der Interpretation überspannen.

ἐν Πύλῳ ἠγαθέῃ, μετὰ δὲ τρίτατοισιν ἄνασσεν.

Od. III. 245 τρὶς γὰρ δή μιν φασὶν ἀνάξασθαι γένε' ἀνδρῶν.

[8] Kommentar HAUPT-KORN-EHWALD, [5]1966, Ovid habe die V. I, 250 der Ilias mißverstanden im Gegensatz zu Horaz C. II 9, 13: at non ter aevo functus ... senex. „Der Irrtum ist dadurch veranlaßt, daß Ovid tria saecula (Laev. hat den Nestor „trisaeclisenex" genannt) nicht als τρεῖς γενεαί (Cic. Cato 31), sondern nach dem Sprachgebrauch seiner Zeit als drei Jahrhunderte auffaßt."

[9] In beiden Stammbäumen sind nur die für die Erklärung wichtigen Namen angegeben:

Amphiaraos ∞ Eriphyle		Adrastos ∞ Amphithea	
(geht bei Theben | zugrunde)			
1 Generation			
	Alkmaion	Polyneikes ∞ Argeia	Deiphyle ∞ Tydeus
		(trojanischer Krieg)	Diomedes

[10] Komm. Heinze, Giarratano; Pseudacron, Schol. I. S. 433. — Karl BÜCHNER, Horaz 1929 bis 1936, Burs. Jahresber. 267/1939, S. 159 (im folgenden: Jber.). K. BÜCHNER, Röm. Literaturgeschichte, Stuttgart 1962 (3. Aufl.), S. 310 (im folgenden: Litgesch.).

[11] Octavian geb. 63 v. Chr., Sex. Pompeius 68 od. 66 v. Chr., Agrippa 62 v. Chr., Maecenas 70 v. Chr., Horaz 65. v. Chr., Cicero (Sohn) 65 v. Chr.

Zur Bedeutung „aetas" als Generation sei außer der zitierten Cicerostelle Cato 31 noch eine weitere angeführt, nämlich Lael. 101: „quoniamque ita ratio comparata est vitae naturaeque nostrae, ut alia (ex alia) aetas oriatur[12], maxime quidem optandum est, ut cum aequalibus possis, quibuscum tamquam e carceribus emissus sis, cum isdem ad calcem ut dicitur pervenire."

Bei Horaz selbst läßt sich „aetas" in dieser Bedeutung viermal belegen:

> C. I 35, 34 f.   ... quid nos dura refugimus
> aetas?

> C. III 6, 46 ff. aetas parentum peior avis tulit
> nos nequiores, mox daturos
> progeniem vitiosiorem[13].

> (C. IV 15, 4 f.   ... tua, Caesar, aetas
> fruges et agris rettulit uberes.

Hier bedeutet „aetas" wohl eher „Ära"[14], doch auch, wie „tua" zeigt, unmittelbar abhängig von der Lebenszeit des Caesar Augustus).

> A. P. 60 ff. ut silvae foliis pronos mutantur in annos,
> prima cadunt: ita verborum vetus interit aetas,
> et iuvenum ritu florent modo nata vigentque[15].

Die aufschlußreichste dieser Stellen ist C. III 6, 46 ff.; hier wird ausdrücklich von der Elterngeneration, von der eigenen und von der folgenden gesprochen.

„Aetas" für eine bestimmte Zahl an Jahren findet sich bei Horaz nie. Häufig bezeichnet der Dichter mit diesem Begriff das menschliche Leben als ganzes oder seine einzelnen Phasen. An drei Stellen, C. IV 9, 10, epist. I 6, 24 und epist. II 1, 42[16] steht „aetas" in der Bedeutung „Zeit", als Angabe eines größeren, jedoch nicht fest umrissenen Zeitraumes.

Auch andere Zeitangaben bei Horaz erscheinen wiederholt, wenn sie nicht überhaupt unbestimmt sind, in Relation zum menschlichen Leben[17], ein Verfahren, das weitgehend dem eher exemplarischen als abstrakten Denken der Römer entspricht.

---

[12] ThLL Sp. 1132, 40 reiht diese Stelle unter den Abschnitt der einzelnen Lebensalter, wobei die Angabe der Conjektur irreführend ist. Conjiziert wurde nur (ex alia). Ich möchte mich in der Deutung jedoch Moritz Seyffert in seinem Kommentar z. Stelle anschließen, der „aetas" hier im Hinblick auf den Zusammenhang als „Generation" deutet.

[13] ThLL Sp. 1137; 5 ff.

[14] ThLL Sp. 1126, 25.

[15] Vgl. auch die bei Horaz zugrunde liegende Stelle bei Homer, Il. VI 146. Hier eher in der Bed. „Geschlecht" als Oberbegriff von „Generation".

[16] ThLL Sp. 1137, 24.

[17] Horaz verwendet aevum von insgesamt 22 Stellen 10mal in der Bedeutung „Leben": C. II, 11, 5 — II, 16, 17 — sat. I, 5, 101 — I, 6, 94 — II, 6, 97 — Epist. I, 18, 97 und 108 — II, 1, 62 u. 144 u. 159; in der Bedeutung „Alter" Epist. I, 20, 26 — II, 3, 178. „Generation" C. II, 9, 13. An den restlichen neun Stellen bedeutet es „Ewigkeit" für die Zukunft u. ä. — Saeculum in der Bedeutung „Generation": C. III, 6, 17 epod. 8, 1 (Lebenszeit); „Jahrhundert": C. IV, 6, 42; „Zeitalter" C. I, 2, 4 — epod. 16, 65. Tempus erscheint nie zahlenmäßig genauer definiert; „Lebenszeit" bedeutet es an folgenden Stellen: C. II, 3, 5 — III, 29, 29 — IV, 7, 18 — IV, 13, 25 — sat. I, 1, 98 u. 118 — Epist. I, 1, 23

Bemerkenswert ist noch, daß im Gegensatz zu Ovid[18] bei Horaz das Goldene
Zeitalter niemals mit „aetas" bezeichnet wird. In der 16. Epode V. 64 sagt Horaz:
„ut inquinavit aere *tempus aureum*" und ähnlich C. IV 2, 39 f.: „. . . quamvis redeant
in aurum / tempora priscum." Zu dem Zeitwort „terere" in der Bedeutung „auf-
reiben", „zugrunde richten", an der sich Orelli im Zusammenhang mit „aetas"
gestoßen hat, sei bemerkt, daß Horaz dieses Wort nie in zeitlichem Sinn gebraucht.

In V. 2 werden wir zum ersten Mal mit der Frage der Priorität der 7. Epode
vor der 16. konfrontiert. Dieser Vers erinnert durch große Ähnlichkeit in der Diktion an Epod. 7, 9—10. Die einzelnen Glieder entsprechen einander in auffallender
Weise[19]:

suis viribus	sua dextera
ipsa Roma	urbs haec
ruit	periret.

Vergleicht man die beiden Stellen miteinander, so fällt auf, daß in der 7. Epode die
Möglichkeit einer Selbstvernichtung, und zwar als Wunsch der Parther gedacht, in
Form einer Frage ausgesprochen wird. Auch die letzten Verse der 7. Epode beinhalten, wie wir zu zeigen versuchten, keine Schlußfolgerungen dieser Art; die endgültigen Folgen des in der 7. Epode erkannten Fluches bleiben vorerst im dunkeln.
Anders in der 16. Epode. Die schicksalhafte Selbstzerstörung ist nunmehr absolute
Gewißheit geworden[20]. V. 2 der 16. Epode kann demnach mit Recht als ein
gedanklicher Fortschritt zur Epode 7 angesehen werden, wobei die Entwicklung
des Gedankens von der Möglichkeit zum Faktum auch in der jeweiligen Zeitwort-
form zum Ausdruck kommt. P. Grimal nennt die 16. Epode „un véritable

---

    — I, 16, 22 (Essenszeit) II, 1, 4 u. 62 — II, 2, 198; II, 1, 130 (Geschlecht: orientia tempora)
    — II, 1, 140 (tempore festo) — Gefahr, Glück, Unglück: C. II, 7, 1 — IV, 9, 36 — Epist.
    II, 2, 46 (dura tempora). — Zeit im Verhältnis zu einer bestimmten Person: sat. II, 4, 1
    Epist. I, 2, 39 — II, 2, 215; als unabhängiger Begriff „Zeit" noch an 8 weiteren Stellen, an
    3 Stellen Stunde oder Tag, an 4 Stellen Jahreszeit, an 7 Stellen „günstiger oder ungünsti-
    ger Zeitpunkt", an einer Stelle Versmaß, an 3 Stellen in formelhafter Verbindung und
    einmal als historische Zeitangabe C. I, 28, 11f.: Troiana tempora. — Als festumrissene
    Zeitbestimmung verwendet Horaz nur *„annus"* mit einem Zahlwort: C. IV, 9, 39 — 11, 1
    — C. S. 21 — sat. II, 3, 118 — 6, 40 — Epist. II, 1, 36 u. 39 u. 40 u. 44 — 2, 82 — 3, 388. —
    In der Bedeutung „Lebensjahr": C. II, 9, 15 — 14, 2 — IV, 7, 7 — 11, 20 — 13, 23 —
    sat. I, 1, 4 — 6, 94 — II, 2, 85 — epist. I, 1, 21 — 11, 23 — 20, 28 — II, 1, 48 — 2, 55 —
    3, 157 — 3, 175. An weiteren 20 Stellen kommt es in der Bedeutung „ein Jahr" oder als
    allgemeiner Zeitbegriff vor.
[18] Bodo GATZ, Weltalter, goldene Zeit und sinnverwandte Vorstellungen. Spudasmata
    XVI, Hildesheim 1967, S. 72 f., hat gezeigt, daß „aurea aetas" eine originelle Prägung
    Ovids darstellt, wobei es in Zusammenstellung mit der Bezeichnung „proles" für die
    folgenden Zeitabschnitte offenkundig bei Ovid dem griechischen χρυσοῦν γένος genau
    entspricht.
[19] Komm.: C. Giarratano.
[20] Die gedanklichen Verbindungslinien zu Sallust, die wir im Rahmen der 7. Epode auf-
    gezeigt haben (siehe S. 14) lassen sich auch hier weiterverfolgen.
    H. FUCHS, Widerstand, S. 9, weist darauf hin, daß auch Sallust von einer ähnlichen
    Selbstvernichtung spricht, jedoch im Gegensatz zu Horaz, der den Untergang sich be-
    reits vor seinen Augen vollziehen sieht, den Zeitpunkt dieses letzten Geschehens im
    ungewissen läßt.

développement" der siebenten[21]. Die Richtigkeit dieser Feststellung wird im folgenden eine weitere Bestätigung finden.

Die V. 3–8 werden von einer mit „quam" eingeleiteten Periode eingenommen. Dieses „quam" ist in zweifacher Weise gebunden. Für den unbefangenen Leser schließt es sich zunächst zwanglos an „Roma" (V. 2) an. Gleichzeitig soll die gesamte Periode jedoch auch das fehlende Akk.-Objekt des V. 9 ersetzen. Diese doppelte Bezogenheit erschwert eine sichere Interpunktion, um nicht zu sagen, sie macht sie überhaupt unmöglich. Sie ist es aber auch, die unter Vermeidung jedes Bruches den Gedankengang fließend erscheinen läßt und die innere Bewegung des Gedichtes unterstreicht. Inhaltlich umschließen die V. 3–8 eine Auswahl jener Feinde, die zwar die Stadt ernstlich bedrohten, sie aber dennoch nicht vernichten konnten[22], ausgehend von den geographisch nächstliegenden Marsern bis zu den jenseits des Meeres beheimateten Karthagern[23]. Der einzige Vers, der sich diesem Schema nicht vollkommen einzufügen scheint, ist V. 6: novisque rebus infidelis Allobrox. Mit der Problematik dieses Verses hat sich in jüngster Zeit Anders Ollfors in einem Aufsatz auseinandergesetzt[24]. Er weist darauf hin, daß die Allobroger zur Zeit des Horaz zweifellos zu den aktuellsten Feinden der Römer zählten. Schon während der Catilinarischen Verschwörung hatten sie eine nicht unbedeutende Rolle gespielt. Damals standen sie nach anfänglichem Schwanken auf Seiten des Konsuls Cicero[25]. Doch nach Aufdeckung der Verschwörung, als sich die politischen Wellen in Rom allmählich zu glätten begannen, erhoben sich die Allobroger 61 v. Chr. gegen Rom. Unter bedeutenden Verlusten gelang es den Römern, diesen Aufstand niederzuschlagen[26]. Im Jahre 48 v. Chr., im Bürgerkrieg zwischen Caesar und Pompeius, führten Allobroger dem Pompeius eine nicht unbedeutende Zahl caesarianischer Truppen zu. „Apparet Caesari quidem hanc defectionem non parvi momenti fuisse quippe qui tribus eam capitulis tractet (b. civ. 3, 59–61)"[27]. Vielleicht hat ihnen der Dichter deshalb das Beiwort „infidelis" gegeben[28]. Trotzdem dürfte es schwer fallen, die Allobroger als ebenbürtige Bedrohung neben Porsenna, Spartacus und Hannibal zu stellen[29]. Man wird doch mit H. Drexler[30]

[21] P. GRIMAL, A propos de la XVIᵉ Epode d'Horace, Lat. 20/1961, S. 729.
[22] H. KEMPTER, a.a.O., S. 18.
[23] Vgl. Heinze. — H. KEMPTER, a.a.O., S. 98. — H. DREXLER, a.a.O., S. 121.
[24] Anders OLLFORS, Ad Hor. epod. 16, 6. Eranos 62/1964, S. 125–130.
[25] Sall., Cat. 41. — In Anlehnung an Sallust verstehen K. WITTE, Gesch. d. röm. Dicht. II, 2, S. 67 und R. SYME, Sallust. Berkeley/Los Angeles 1964, S. 285, unter „Allobrox" eine Anspielung auf die Catilinarische Verschwörung; doch muß diese Annahme im vorliegenden Fall als zu speziell eher abgelehnt werden, zumal die Anspielung in Anbetracht der eigentlich positiven Rolle, die den Allobrogern in dieser Verschwörung zugebilligt werden muß, einigermaßen unverständlich wäre. Vgl. auch Pseudacron, Schol. I, S. 435. (dort fälschlich unter 8.)
[26] Cic. prov. 32.
[27] A. OLLFORS, a.a.O., S. 127.
[28] Zur Erklärung des Ausdrucks „novis rebus infidelis" vgl. Heinze in seinem Kommentar und A. OLLFORS, a.a.O., S. 126 f.
[29] H. KEMPTER, a.a.O., S. 18. — A. OLLFORS, a.a.O., S. 128.
[30] H. DREXLER, a.a.O., S. 121; als entscheidend für die Auswahl der Allobroger führt DREXLER auch metrische Gründe an.

und neuerdings mit A. Ollfors[31] im Gegensatz zu K. Büchner[32] annehmen dürfen,
daß die Allobroger pars pro toto das gesamte Volk der Gallier repräsentieren, wo-
für sie als einer der bedeutendsten gallischen Stämme sehr wohl geeignet erscheinen[33]. Auch das Epitheton „infidelis" oder „infidus" wird häufig von den Galliern
im allgemeinen gebraucht[34]. Über die Allobroger hinaus zeichneten sich jedenfalls
gerade damals die Gallier immer wieder durch Aufruhr und Vertragsbrüche aus;
man denke nur an den bedrohlichen Averneraufstand unter Führung des Vercinge-
torix im Jahre 52 v. Chr. Es scheint durchaus möglich, ja wahrscheinlich, daß der
römische Leser bei der Erwähnung dieses Namens zumindest auch an die Kriege
Caesars in Gallien gedacht hat. Die Gallier waren immerhin ein traditionsreicher
Feind der Römer. Wieweit die Assoziationen bei Nennung eines ihrer bedeutendsten
Vertreter gingen, vermögen wir zwar heute kaum mehr abzuschätzen, doch wäre
es durchaus möglich, daß mit dieser Anspielung auch die Erinnerung an den großen
Galliereinfall des Jahres 387/86 verbunden war, durch den Rom beinahe wirklich
zugrunde gegangen wäre. Jedenfalls wäre es merkwürdig, daß Horaz in keiner
Weise diese ernste Bedrohung der Stadt erwähnt haben sollte[35].

b) *Erster Abschnitt: V. 9—34*

In Satzbau und Wortstellung korrespondiert V. 9 in auffallender Weise mit
V. 1 der Epode. Die „altera aetas" nimmt nunmehr konkretere Gestalt an: Wir,
eine Generation verfluchten Blutes, werden die Stadt ruchlos zerstören. Dieser Vers
bedarf in seinen einzelnen Gliedern einer genauen Interpretation. Durch die Wortstellung eng miteinander verbunden, manifestieren die Worte „devoti sanguinis
aetas" ihre Zusammengehörigkeit. Sie nehmen den Schlußgedanken von Epode 7,
besonders der letzten Verse, auf[1]. Unsere Generation entstammt verfluchtem Blut,
sagt hier der Dichter in der 16. Epode, wobei „sanguis" die blutgebundene Ge-
schlechterfolge eines Volkes bedeutet[2]. Mit diesen Worten scheint sich auch die
Frage der Priorität endgültig zugunsten der 7. Epode zu entscheiden. H. Kempter,
der zwar auch im Zusammenhang mit epod. 16, 9 von einem auf dem gegenwärtigen
Geschlecht ruhenden Fluch spricht, meint jedoch: „Da kein bestimmtes Verbrechen
zu erkennen ist, wird wohl an eine Schuld der unmittelbaren Vorfahren zu denken

[31] A. OLLFORS, a.a.O., S. 128.
[32] K. BÜCHNER, Jber. S. 159 ohne nähere Begründung.
[33] Vgl. Liv. 21, 31, 5.
[34] A. OLLFORS, a.a.O., S. 128 f.
[35] A. OLLFORS, a.a.O., S. 128.
[1] Erich THUMMER, Zur Deutung der 16. Epode des Horaz. Serta philologica Aenipontana,
    Innsbruck 1962, S. 343: „Das Passiv ‚teritur' in V. 1 läßt die Unheil wirkende Macht
    noch im dunkeln, in V. 9 tritt sie hervor, indem ‚aetas', das vorher nur passiv in das
    Geschehen einbezogen wurde, als aktives Subjekt erscheint."
[2] In genealogischem Sinn verwendet Horaz „sanguis" in C. II 20, 6 — C. III 27, 65 —
    C. IV 2, 14 — C. S. 50 — A. P. 292. Diese Stellen entsprechen jedoch nicht ganz dem
    Gebrauch von Epod. 16, 9, denn in den zitierten Stellen bezeichnet „sanguis" den Sproß
    selbst.
    Für den vorliegenden Gebrauch vgl. Vergil Aen. I 329: Nympharum sanguinis una.

sein, die an dem gegenwärtigen Geschlecht durch die Bürgerkriege gerächt wird"[3]. Gerade das Fehlen einer präzisen Definition des „devoti sanguinis" legt jedoch, wie wir glauben, den Schluß nahe, daß die Ursache und die Art des Fluches bereits als bekannt vorausgesetzt werden. Darüber hinaus meint K. Barwick wohl mit Recht, daß nur aus einem schicksalhaften Fluch, wie ihn die 7. Epode in Ursprung und Wirkung als Ursache der Bürgerkriege vor Augen führt, der spätere Plan des Dichters in seiner Ungeheuerlichkeit verständlich werden kann[4]. Es mutet tatsächlich unwahrscheinlich an, daß ein nicht näher erklärtes Verbrechen der Elterngeneration unsühnbar das absolute Ende Roms bewirken sollte. Ähnlich wie die modernen Kommentatoren wird sich der antike Leser, dem die Sammlung ebenfalls in dieser geschlossenen Form vorlag, bei der Lektüre der 16. Epode an Epode 7 erinnert gefühlt haben[5], zumal die Anspielungen sich nicht auf diesen Vers beschränken[6]. Das Adjektiv „inpia" sollte man eher prädikativ, etwas in der Bedeutung „durch unsere Gottlosigkeit", auffassen und seine enge Stellung zu dem futurischen „perdemus" nicht übersehen. Im Gegensatz zu dem ererbten „devoti sanguinis" scheint es dadurch ebenfalls in die Zukunft transponiert. Durch dieses Futur rückt der Dichter den Frevel der Selbstvernichtung deutlich von der Gegenwart ab. Erst wenn die „altera aetas" sich von neuem mit Blut befleckt, d. h. in letzter Konsequenz Rom vernichtet und damit eine Tat vollbringt, die im tiefsten Sinn ein „impium factum" ist[7], wird sie, zwar schon belastet durch den Fluch des Blutes, selbst ihre „pietas" verlieren[8]. Bei einem Vergleich von V. 1 und V. 9 wird diese vom Dichter beabsichtigte Unterscheidung ganz deutlich. In V. 1, da Horaz von der Gegenwart spricht, wird die „altera aetas" nicht handelnd sondern leidend dargestellt: altera ... teritur bellis civilibus aetas[9]. Noch ist nicht sie es, die jene „impia facta" vollbringt, die Rom dem Untergang entgegentreiben. Erst in V. 9, der in die Zukunft weist, tritt sie aus ihrer Passivität heraus in den Bereich selbständiger Aktivität, mit dem untrennbar der Verlust der „pietas" verbunden ist: inpia perdemus ... Nur wenn man diese im Versbau sorgfältig festgehaltene Unterscheidung übersieht, wird es schwierig, den weiteren Gedankengang des Gedichtes ungehindert von inneren Widersprüchen zu verfolgen.

In dem betont an der Spitze des Verses stehenden „inpia" klingt zum ersten Mal das Motiv der „impietas" an, das, an zwei weiteren Stellen deutlich ausgesprochen, in einem Spannungsbogen die Epode durchzieht[10]. In den V. 11—14 schildert der Dichter die äußeren Folgen der als „impium factum" gekennzeichneten Selbstver-

---

[3] H. Kempter, a.a.O., S. 42.
[4] K. Barwick, a.a.O., S. 59 f.
[5] K. Witte, Gesch. d. röm. Dichtk. II, 2, S. 68, Anm. 2.
[6] Innere Beziehungen thematisch verwandter Gedichte begegnen auch anderswo bei Horaz; vgl. z. B. die Canidiagedichte, Epod. 5, sat. I 8 und Epod. 17, wobei sich in Epod. 17 mehrfach Anspielungen auf die beiden anderen Gedichte finden.
[7] E. Thummer, a.a.O., S. 343.
[8] E. Thummer, a.a.O., S. 346.
[9] E. Thummer, a.a.O., S. 344, weist im Zusammenhang mit der Begriffsdefinition von „labor" ebenfalls auf den passiven und aktiven Charakter der V. 1 und 9 hin, ohne jedoch weitere Schlüsse daraus zu ziehen.
[10] Siehe Seite 55 ff.

nichtung, die sich im Verfall der Stadt Rom manifestiert[11]. Dieser Abschnitt wird
beherrscht von antiker Topik, so von der Vorstellung, daß wilde Tiere und Barbaren von der verödeten Stadt Besitz ergreifen werden[12].

H. Drexler kritisiert den, wie er meint, unlogischen Fortgang der Schilderung in
den V. 10—14. Nach V. 10 kehre der Dichter plötzlich zu einem Status zurück, der
zeitlich früher anzusetzen wäre; dadurch würde das Reiten über die Trümmer
funktionslos[13]. An dieser Stelle muß nun ausdrücklich darauf hingewiesen werden,
daß Horaz keineswegs von einer Eroberung der Stadt Rom durch Barbaren spricht,
die zwar als Sieger von außen in das Reich eindringen, aber bereits ein verödetes
und der weiteren Verwüstung preisgegebenes Rom vorfinden werden. Denn nichts
anderes sagt der Dichter in V. 2 „suis et ipsa Roma viribus ruit", dem das „perdemus" in V. 9 entspricht[14].

Man hat sich gefragt, welche Feinde Horaz mit „barbarus victor" gemeint haben
könnte, und versuchte auch von hier aus eine Datierung der Epode zu gewinnen.
Am häufigsten werden die Parther genannt, die vor allen anderen als Reitervolk[15]
charakterisiert werden. Kurt Witte meint[16], Horaz habe uns selbst diese Feinde in
C. III 6, 13 ff. genannt:

> paene occupatam seditionibus
> *delevit urbem* D a c u s et A e t h i o p s ,
> hic classe formidatus, ille
> missilibus melior sagittis.

Doch die hier angeführten Völker sind ausdrücklich als Seemacht und als Bogen-
schützen charakterisiert. Außerdem geht es, wie vorher gezeigt wurde, in der 16.
Epode nicht um die Zerstörung der Stadt durch Barbaren, sondern um die Erobe-

---

[11] E. THUMMER, a.a.O., S. 343.
[12] Carl WEYMAN, Bemerkungen zur 16. Epode d. Horaz. Donum Natalicium Schrijnen,
Nijmegen-Utrecht 1929, S. 739: „Die Zerstörung und Verödung von Städten und Tem-
peln bzw. die Entweihung von Heiligtümern ist ein Topos der prophetischen astrolo-
gischen Literatur."
Siehe auch L. LEVI: L'epodo XVI d'Orazio e la IV Ecloga Virgiliana. Atene e Roma
12/1931, S. 171.
[13] H. DREXLER, a.a.O., S. 122 f.
[14] H. KEMPTER, a.a.O., S. 18: Wichtig „ist auch die durch die Beispiele (V. 3—8) gestützte
Behauptung, Rom fällt keinem äußeren Feind zum Opfer, sondern nur seiner eigenen
Zwietracht. Wenn es einig ist, so ist es unüberwindlich". Der Meinung KEMPTERS, daß
diese Stelle (V. 3—8) ein Zeugnis für den Glauben des Horaz an ein ewiges Rom sei,
den die bittere Gegenwart einschränkt und fast unmöglich macht, kann ich mich nicht
anschließen. Epode 16 ist eher ein Beweis dafür, daß der Dichter diesen Glauben, den er
besessen haben mag, für den Augenblick verloren hat. V. 2 spricht diesen Gedanken
deutlich aus.
[15] Die Parther als Reiter charakterisiert: sat. II 1, 15 labentis equo ... Parthi, C. I 19, 11f.:
et versis animosum equis / Parthum dicere; aus dem Zusammenhang zu entnehmen:
C. II 13, 17f. celerem fugam / Parthi, C. III 2, 3; bei Vergil, georg. IV 314 leves ...
Parthi. Vgl. auch H. JANNE, a.a.O., S. 125.
[16] K. WITTE, Geschichte der römischen Dichtkunst II, 2, S. 68.
Georg SCHÖRNER, Sallust und Horaz über den Sittenverfall und die sittliche Erneuerung
Roms. Diss. Erlangen 1934, S. 70.

rung des Reiches und um das Vordringen des Feindes in ein bereits verödetes Rom[17], dessen Vernichtung sie vollkommen machen. In dem von Witte zitierten Gedicht spricht Horaz V. 9/10 auch von den Parthern, die als aktuellste Bedrohung des römischen Reiches während der Frühzeit des Dichters alle Gemüter bewegten; auch in der 7. Epode werden sie namentlich genannt. Die Wahrscheinlichkeit, daß in der 16. Epode die Parther hinter dem Ausdruck „barbarus victor" zu suchen sind, wenn überhaupt ein spezifisches Volk gemeint ist, muß als groß angesehen werden. Auch von historischer Warte aus wird diese Annahme gestützt[18].

Die bildhafte Sprache dieser Verse ist von starker Wirkung und Dynamik[19]. Ebenso die der folgenden Verse 13/14, in denen der Dichter als letzte Manifestation völliger Vernichtung die Schändung des Gründergrabes schildert. Wenn H. Kempter in dieser Schändung des Romulusgrabes keinen wesentlichen Bestandteil des Gedichtes, sondern ein dichterisches Bild zur Steigerung der Katastrophe sieht[20], so ist dagegen einzuwenden, daß gerade in diesen Versen die Schilderung gegenüber allem vorher Gesagten eine Überhöhung in den sakralen Bereich erfährt und daß erst mit der Schändung des Gründergrabes die endgültige Vernichtung jeder Hoffnung auf ein Wiedererstehen der Stadt besiegelt wird[21]. Mit der Entweihung des Quirinusgrabes hat die Schilderung den absoluten Höhepunkt erreicht; er ist zugleich ein absolutes Ende. Franz Skutsch weist in diesem Zusammenhang auf die besondere Bedeutung der Worte „carent ventis et solibus" und „nefas videre" hin. „Von den Heroen- und Märtyrergebeinen wie von fast jedem der Symbole, an die das Bestehen und Gedeihen einer Stadt oder eines Staates geknüpft erscheint, gilt

---

[17] Vgl. Sallust, Epist. ad Caes. 1, 5, 2: ego sic existimo: quoniam orta omnia intereunt, qua tempestate urbi Romanae fatum excidii adventarit, civis cum civibus manus conserturos, ita defessos et exsanguis regi aut nationi praedae futuros. aliter non orbis terrarum neque cunctae gentes conglobatae movere aut contundere queunt hoc imperium (siehe dazu auch H. Fuchs, Widerstand, S. 9).

[18] Siehe S. 64.

[19] Schon bei einer flüchtigen Betrachtung der Epoden muß der stark bildhafte und zugleich dynamische Charakter der Sprache auffallen. Die Bilder sind selten statische Beschreibungen eines Zustandes, sondern lebendiger Ablauf einer Handlung: z. B. epod. 2, 17 f., 20, 61 ff.; epod. 7, 7 ff., 15; epod. 9, 21 f., 27 ff.; epod. 10, 3 ff., 19 ff.; epod. 13, 1 ff., 5; epod. 15, 7 ff.; epod. 16, 28 ff., 43 ff.; epod. 17, 21 ff.

[20] H. Kempter, a.a.O., S. 12.

[21] Franz Skutsch, a.a.O., S. 365 f.: „Das Wohlergehen, die Existenz der Stadt ist daran gebunden, daß ihr die Gebeine des ἥρως κτίστης unversehrt erhalten bleiben. Werden sie zerstreut, dann ist es um die Stadt rettungslos geschehen ... Horaz ist also insoweit erklärt, als die Zerstreuung der Gebeine des ἥρως κτίστης Romulus für Rom wirklich das letzte Ende bedeuten würde: tritt dieses Ereignis ein, so kann die Stadt nie wieder erstehen." Diese Vorstellung entstammt griechischem Gedankengut und F. Skutsch führt zahlreiche Belegstellen an: Jul. Valerius III, 57, Aelian VH. XII 64, Justin VII, 2, Plutarch, Theseus, Theodoret Graec. affect. cur. p. 199 R., Pausanias VIII, 47, 4, Herodot VI, 134. Der Einwand Heinzes, daß diese Stelle mit den oben genannten griechischen Vorstellungen nichts gemeinsam habe, hat nur insoweit seine Berechtigung, als Horaz diese Vorstellungen abgewandelt und eingeschränkt hat. Die Schändung der Grabstätte in der 16. Epode soll nicht Zeichen eines bevorstehenden Unterganges der Stadt sein, sondern manifestiert im Anschluß an eine bereits vollzogene Zerstörung die Endgültigkeit dieses Schicksals.

es, daß sie ἀπόρρητα sind … Niemand darf sie sehen, wenn sie nicht ihre heilige Kraft verlieren sollen …"[22].

Die Worte „nefas videre" stehen in enger Beziehung zu V. 9 „inpia perdemus"; der Ring hat sich geschlossen, der Verlust der eigenen „pietas" gipfelt in den Worten „nefas videre", wie die gesamte Schilderung im Schänden der sakralen Grabstätte, deren Ursprung in der „impietas" der Römer zu suchen ist.

Im Zusammenhang mit diesen Versen erhebt sich jedoch die Frage, wie sich die Erwähnung des Quirinus mit dem in Epode 7 begründeten negativen Romulusbild vereinbaren läßt[23]. Bei flüchtiger Betrachtung scheint zunächst tatsächlich ein Widerspruch vorzuliegen. Doch gilt für Epode 16 gleichermaßen, was Otto Seel über die Gestalt des Romulus geschrieben hat, er sei, wie auch das unschuldig vergossene Blut des Remus (Epod. 7, 20), verflucht und geweiht zugleich[24]. Er ist zwar einerseits Urheber des auf den Römern lastenden Fluches, andererseits jedoch als Gründer der Stadt, als ἥρως κτίστης, unantastbar und somit in der vollen Bedeutung des Wortes „sacer". Bemerkenswert bleibt jedoch noch immer die Wahl des Götternamens „Quirinus", ebenso wie das Fehlen einer namentlichen Erwähnung des „Romulus" in beiden Epoden. Die Synthese Romulus/Quirinus war zur Zeit des Horaz bereits vollzogen. C. Weyman meint nun, daß im allgemeinen am Hexameterschluß statt der metrisch schwierigen Formen des Namens „Romulus" „Quirinus" eintreten konnte. Er führt als Parallelen Enn. ann. 117 V., Verg. Aen. I 292, Ov. fast. III 41 an. Statt „Romulus" habe Vergil georg. II 533 aus metrischen Gründen die Umschreibung „hanc Remus et frater" eintreten lassen[25]. Tatsächlich wäre, von Nominativ und Vokativ abgesehen, keine Form von „Romulus" in den auffallend reinen Hexametern der 16. Epode, in denen jede Elision vermieden wird, möglich. Doch scheint mir in Anbetracht der Funktion dieses Grabes als Symbol der Gründung und des Fortbestandes der Stadt „Quirinus", der göttliche Name des Romulus, mit Bedacht gesetzt. Mit der Wahl dieses Namens wird die heroisch-göttliche Seite der Gründerperson unterstrichen und deutlich von der des Urhebers des ersten Frevels getrennt[26], wobei man mit Rücksicht auf den Zusammenhang eher von einer Heroisierung des Quirinus, denn von einer Vergöttlichung des Romulus sprechen könnte[27].

---

[22] F. SKUTSCH, a.a.O., S. 367 f. — Vgl. auch Martin P. NILSSON, Gesch. d. griech. Religion. Hb. d. Altertumswiss. V/2, 1. Bd. München 1967, S. 189.
[23] R. HANSLIK, a.a.O., S. 233, sieht gerade in der ehrfürchtigen Erwähnung des Quirinus in der 16. Epod. einen gewichtigen Grund für ihre Priorität gegenüber der 7. Epode.
[24] Otto SEEL, a.a.O., S. 112.
[25] C. WEYMAN, a.a.O., S. 740.
[26] C. J. CLASSEN, a.a.O., S. 200, meint, daß durch die Vorstellung der Zerstörung des Grabes die Unsterblichkeit des Romulus sehr in Frage gestellt werde. Dem wäre entgegenzuhalten, daß es Horaz an dieser Stelle weniger um die Unsterblichkeit des Romulus als vielmehr um den Bestand der Stadt Rom zu tun ist, der sich ihm an der Unversehrtheit des Gründergrabes bildhaft manifestiert.
[27] Vgl. M. P. NILSSON, 1. Bd. a.a.O., S. 188, auch bei den Griechen konnten Lokalgottheiten unter die Heroen aufgenommen werden. Bei der Identifizierung des Romulus mit Quirinus handelt es sich überhaupt um ein schwieriges Problem vgl. S. 15, Anm. 36. Die Beziehung dürfte eine wechselseitige gewesen sein. Quirinus wurde neben seiner Göttlichkeit zum ἥρως κτίστης, Romulus zum Gott.

Es folgt nun eine deutlich spürbare Caesur, die auch am Aufbau des Gedichtes abzulesen ist[28]. Kann es — so fragt man sich unwillkürlich — überhaupt noch eine Möglichkeit geben, dem Unheil zu entrinnen und sich vor „impia facta" zu bewahren?

Die Verse 15/16, die unvermittelt zu einem einseitig vom Dichter geführten Dialog mit einer imaginären Versammlung von Römern überleiten, sind an dieser bedeutenden Stelle des Gedichtes in ihrer konkreten Aussage und ihrem grammatikalischen Bau umstritten. Die Schwierigkeiten sind zweifacher Natur. Einerseits stellt das an der Spitze von V. 15 stehende „forte" ein Problem dar; denn in der, wie es scheint, hier geforderten Bedeutung „vielleicht" wird es in der Regel nur enklitisch gebraucht, eine Gewohnheit, die erst in späterer Zeit durchbrochen wurde[29]. Die zweite Schwierigkeit betrifft die Gesamtkonstruktion des Satzes, im besonderen die Frage nach der Abhängigkeit des Infinitivs „carere". Die Lösungsversuche sind zahlreich, doch erweist sich keiner als völlig befriedigend[30]. Wie

---

[28] Siehe Skizze auf S. 112.

[29] KÜHNER-STEGMANN, II, 1, S. 812, 6: „Forte, der Ablativ des Subst. fors, eigentlich „durch Zufall", „zufällig", wird in Verbindung mit si, sin, nisi, ne in der Bedeutung „etwa", „vielleicht" gebraucht; außer diesen Verbindungen erst bei Späteren."

[30] SKALIGER, dem sich mit Vorbehalt Heinze und Drexler anschließen, schlägt als Lösung die Abhängigkeit beider Konstruktionen, des quid-Satzes und des Infinitivs, vom Verbum quaeritis vor: forte communiter quaeritis, quid expediat, aut melior pars quaeritis carere laboribus (forte = si forte). Abgesehen von der Kompliziertheit der Konstruktion, war es unmöglich, eine vergleichbare Stelle zu finden, in der ein Verbum zwei so gänzlich verschiedene Konstruktionen nach sich zieht, die zugleich eine Bedeutungsverschiebung innerhalb dieses Verbums mit sich bringen, wie es hier der Fall wäre. H. DREXLER, a.a.O., S. 124ff. versucht die Unklarheit dieser Verse aus dem Bemühen des Dichters zu erklären, einen an sich unheilbaren inneren Widerspruch zwischen der „inpia devoti sanguinis aetas" und der „pia gens" der Seligen Inseln in der Epode unkenntlich zu machen. Da dieser Widerspruch, wie unsere Interpretation zeigen soll, nicht vorhanden ist, hebt sich Drexlers Erklärung in sich selbst auf. — MADVIG, Adversaria critica II, 58 f. und in seiner Folge K. BARWICK, a.a.O., S. 39 ff., die den Satz „forte quid expediat!" als ein eigenständiges Gebilde auffassen, leiten „forte" von dem Adj. „fortis" ab und erklären: hoc est, forte aliquod remedium. Dieser Deutung folgt B. AXELSON, Eine crux interpretum in den Epoden des Horaz (16, 15/16). Festschrift Enk. Leiden 1955, S. 45 ff., ohne jedoch überzeugen zu können (siehe S. 35, Anm. 40). ORELLI faßt „carere" als finale Infinitivkonstruktion in Abhängigkeit von „quid expediat" auf: quid conferat sive adiumento sit ad carendum laboribus ... Ihm folgt einerseits Ezio BOLAFFI, Urbinum 1930 (IV) 3, S. 48—51, bes. S. 49: „E noto infatti che l'infinitivo con valore finale, mentre è in generale sconosciuto alla prosa classica, ci è attestato, e anche abbastanza largamente, dal latino popolare, dai poeti anche dell'età augustea, e dal latino postclassico. Citerò precisamente, poiché interessano al caso nostro, alcuni esempi di infiniti finali, che si rinvengono nei poeti augustei, in Orazio stesso e in Vigilio, dove si richiederebbe „ut" col congiuntivo, o „AD" col gerundio, o il genitivo del gerundio o del gerundivo". Doch die von Bolaffi beigebrachten Parallelstellen (C. I 1, 8 — I 2, 7/8 — I 26, 1/3 und Vergil Aen. V 155, 194, 247/48, 262, 571/72) sind von der vorliegenden verschieden. Weiters folgt dieser Deutung K. BÜCHNER, Jber. S. 159. Mit Recht hat K. BARWICK, a.a.O., S. 39, darauf hingewiesen, daß auch die von Büchner angeführten Parallelstellen (epod. 5,87 — 8, 16 — 11, 3 — 13, 7 — 16, 3 — 17, 25) anders zu beurteilen sind. Ausführlich vertritt K. BÜCHNER diese Theorie noch einmal in seinem Aufsatz „Dichtung und Grammatik", Mnem. 4, 10, 1957, S. 22 ff.

Bentley schon lange gezeigt hat, scheint es nicht ratsam, die enge Zusammengehörigkeit des Infinitivs „carere" und des Zeitwortes „quaeritis" zu zerstören. Man könnte
in diesem Zusammenhang auch auf eine Stelle bei Horaz hinweisen, die in Wortstellung und Wortwahl geradezu als ein Spiegelbild der vorliegenden erscheinen
muß, nämlich auf C. III 4, 37 ff (besonders V. 39):

> vos Caesarem altum, militia simul
> fessas cohortes abdidit oppidis,
> *finire quaerentem labores*
> Pierio recreatis antro.

oder „Horaz", Studien zur römischen Literatur, Bd. III, Wiesbaden, 1962, S. 102—112.
Vgl. auch die nachträglich erschienene Arbeit von Marcello GIGANTE, Erodoto nell'epodo
XVI di Orazio. Maia 18/1966, S. 231, er übersetzt: „forse che cosa giovi ad esser liberi
dai tristi travagli, domandate voi tutti o almeno i migliori." Der Gebrauch des finalen
Infinitivs nach „expediat" wäre an dieser Stelle einmalig und sehr ungewöhnlich; nach
Durchsicht der bei Kühner-Stegmann II, 1, 680 ff. in großer Zahl angeführten Möglich-
keiten seiner Verwendung ist sein Auftreten an dieser Stelle höchst unwahrscheinlich.
Über diese rein grammatikalischen Bedenken hinaus meldete schon lange BENTLEY noch
einen weiteren, m. E. schwerwiegenden Einwand an, die beinahe gewaltsame Trennung
des im Vers so eng mit dem Zeitwort verbundenen Infinitivs, die bei einer Abhängigkeit
des „carere" von „expediat" notwendig wäre. Dieser Einwand gilt auch für die von
Ed. FRAENKEL, a.a.O., S. 53 ff. vorgeschlagene Lösung. Er versucht nachzuweisen, daß
Fragen, wie „forte quid expediat" in der Volksrede geläufig sind. Die von ihm beigebrachten Beispiele decken sich jedoch nicht vollkommen mit der Epodenstelle, vor allem
was die Spitzenstellung von „forte" anlangt. C. BECKER hat in seiner Besprechung dieses
Buches Gnom. 31/1959, S. 596, auf die Schwierigkeiten hingewiesen, die sich ergeben,
wenn man wie Fraenkel „carere" als freien, appositionsartigen Infinitiv auffaßt. Ed.
FRAENKEL selbst a.a.O., S. 54, ist sich bei seiner Deutung der ungemein komplizierten
Wortstellung durchaus bewußt, doch führt er sie darauf zurück, daß Horaz noch nicht
jenen „lucidus ordo" zu erreichen verstand, der seine späteren Werke auszeichnet.
Fraenkel geht auf die Arbeit von G. KIRSTEN, De infinitivi ... apud Horatium usu"
Diss. Leipzig 1938 zurück. Der Italiener G. CAMMELI, Orazio, Epodo XVI, Athenacum,
N. S. VIII, 1/1930, S. 77 ff. trennt folgendermaßen: forte — quid expediat — commu-
niter ... Er übersetzt diesen eingeschobenen Fragesatz: — aber wozu könnte es helfen? —
Diese Lösung widerspricht dem gesamten Tenor des Gedichtes, wenn sie formal auch
möglich wäre. In jüngster Zeit hat W. SCHMID, Eine verkannte Konstruktion in der
16. Epode des Horaz, Phil. 102/1958, S. 93—102, versucht, „carere" als Akkusativ-
Objekt zu einem transitiven „expediat" aufzufassen. Diese Lösung ist sprachlich gangbar,
doch sie bedingt zugleich, daß es sich bei Epod. 16 gewissermaßen um ein Traktat
epikureischer Lebensphilosophie handle. A. LA PENNA a.a.O., S. 36, Anm. 1, nennt
diese Interpretation „più probabile, se non certa". Auf die Schwierigkeiten dieser rein
philosophischen Deutung weisen C. BECKER, Gnom. 31/1959, S. 596 f., E. THUMMER,
a.a.O., S. 344, Anm. 1 und M. GIGANTE, a.a.O., S. 228 ff. u. a. mit der Bemerkung, es
gehe in dieser Epode nicht um ἀπονία sondern um εὐδαιμονία (S. 229) wohl mit Recht
hin. Gigante will in diesem Distichon vielmehr eine Reminiszenz an Herodot I, 170
sehen, wobei die Wendung „quid expediat" identisch wäre mit der griechischen Wendung γνώμην...χρησιμωτάτην, die zugleich auf „potior sententia" V. 17 hinweise. Ob
hier tatsächlich eine Parallele zum Vorschlag des Bias bei Herodot vorliegt, läßt sich
infolge des ganz andersartigen inhaltlichen Charakters der Stelle sowie der Beweggründe
kaum entscheiden. Jedenfalls müßten wir bei Horaz eine grundlegende Umdeutung vor-
aussetzen, die eine solche Gegenüberstellung doch bereits sehr dem Bereich der Vermu-
tung annähert. Eine inhaltliche Deutung dieser Verse ist m. E. auch ohne diese Parallele
möglich.

Mit Bentley ist wohl auch das in den Codices überlieferte „quod" dem meist in den Ausgaben aufscheinenden „quid" vorzuziehen; ebenso scheint die Auffassung des „quod-Satzes" als vorangestellte Apposition zu dem folgenden Infinitiv die weitaus glücklichste Lösung zu sein. Doch wollen wir den Konjunktiv des Nebensatzes nicht optativ wie Bentley, sondern potential auffassen: „Vielleicht — was helfen könnte — sucht ihr alle oder wenigstens der bessere Teil malis carere laboribus"[31]. Nach der Gesamtkonzeption des Gedichtes kann es für Horaz selbst keinen Zweifel geben, daß nur ein „malis carere laboribus" zu einer Bewahrung der „pietas" führen kann. Fraglich ist einzig die Einstellung der Masse zu dieser Erkenntnis des Dichters. Wenn sie, wie er, zu dieser Einsicht gelangen könnte, communiter aut melior pars, dann gäbe es für alle oder wenigstens für einige noch eine Möglichkeit der Selbstbewahrung; denn nichts anderes besagt die Wendung „malis carere laboribus".

Erich Thummer hat in seinem Aufsatz zu zeigen versucht, daß der Ausdruck „mali labores" sowohl die Vorstellung von empfangenem Unheil als auch von verübtem Frevel in sich schließe. Er zitiert in diesem Zusammenhang Cic. Tusc. II 15, 35: interest aliquid inter laborem et dolorem. Sunt finitima omnino, sed tamen differt aliquid. Labor est functio quaedam vel animi vel corporis gravioris operis et muneris; dolor autem motus asper in corpore alienus a sensibus[32].

Dieser sehr speziellen Deutung des Begriffes ist hinzuzufügen, daß gerade das Wort „labor" bei Horaz in eigentümlicher und im Laufe der Zeit modifizierter Bedeutung erscheint, wie im Zusammenhang mit der 1. Epode noch ausführlich zu erörtern sein wird[33]. Für die von E. Thummer hier vorgeschlagene Bedeutung bietet sich bei Horaz selbst eine Belegstelle an, C. I 3, 36:

> perrupit Acheronta Herculeus labor.

Es wäre jedoch unrichtig, diesen Vers, aus seinem Zusammenhang herausgelöst, allein zu betrachten; es ginge dabei die besondere Färbung des Begriffes „labor" verloren, die wir herauszuarbeiten bemüht sind.

Die gesamte Stelle lautet:

> C. I 3, 25ff. audax omnia perpeti
> gens humana ruit per vetitum nefas,
> audex Iapeti genus
> ignem fraude mala gentibus intulit.

Es folgt die Beschreibung der Folgen dieses Frevels, Krankheit, Fieber, Tod.

> V. 34 ff.: expertus vacuum Daedalus aera
> pinnis non homini datis
> perrupit Acheronta Herculeus labor.
> nil mortalibus ardui est:
> caelum ipsum petimus stultitia neque
> per nostrum patimur scelus
> iracunda Iovem ponere fulmina.

---

[31] Zur Stellung quod (Appos. z. „carere") communiter (Hs. Subj.) carere quaeritis vgl. V. 35/36 ... quae (abh. v. exsecrata) eamus omnis exsecrata civitas (Hs. Verb. u. Subj.).
[32] E. THUMMER, a.a.O., S. 344 (siehe auch Anm. 1).   [33] Siehe S. 104 f.

Im Zusammenhang gesehen wird der „*Herculeus labor*" zu einem der drei Exempel für menschliches „*nefas*" (V. 26) und „*scelus*" (V. 39)[34].

Jedes dieser Exempel ist auch sprachlich als solches „nefas" gekennzeichnet: das erste durch „mala fraude" (V. 28), wobei besonders das Adjektiv „*mala*" bemerkenswert ist[35], das an unserer Stelle zu „labor" tritt, das zweite Exempel durch „pinnis *non homini datis*"; in dem von uns zitierten Beispiel V. 36 kann dieses Moment eines frevelhaften Beginnens nur in dem Begriff „*labor*" selbst enthalten sein. Der Gedanke „audax omnia perpeti / gens humana ruit per vetitum nefas" wird nach den ihm folgenden Beispielen am Schluß der Ode wieder aufgenommen. Die Entsprechungen der Verse 25/26 und der Verse 37—40 sind auffällig:

audax omnia perpeti / humana gens — nil mortalibus ardui est /
                          caelum ipsum petimus

ruit[36]   — neque ... patimur ... / iracunda
                           Iovem ponere fulmina
per vetitum nefas   — per nostrum ... scelus.

Wie durch eine feste Klammer werden die genannten Beispiele von diesen Versen eingeschlossen und fügen sich jedes einzeln unlösbar in den gedanklichen Zusammenhang. Somit wird deutlich, was E. Thummer für die Bedeutung „labores" in Epode 16 in Anspruch nimmt, daß nämlich „labor" auch soviel wie „frevelhaftes Tun" bedeuten kann[37]. Freilich war für das Ohr des Römers gleichzeitig in dem Begriff „labor" auch das auf die Tat folgende Leiden beschlossen. Es ist daher schwer oder

---

[34] Vgl. auch die Verse 21 ff. derselben Ode: bes. 23 f.
               si tamen in piae
       non tangenda rates transiliunt vada.

[35] Gebrauch von „malus" bei Horaz: Als Vergleichsstellen zu dem hier vorliegenden Gebrauch könnte man in der Lyrik des Horaz noch folgende Stellen anführen: C. III 14, 11 „male ominatis/parcite verbis", und C. I 15, 5 bzw. Epod. 10, 1 wo es beide Male im Zusammenhang mit Vorzeichen „unglückbringend" bedeutet.

[36] Entgegen den meisten Übersetzern und mit Bezug auf die folgenden Verse möchte ich „ruit" eher mit „zugrunde gehen" übersetzen und zwar „infolge untersagten Frevels". So aufgefaßt erinnert diese Stelle an Epod. 16, 2: suis et ipsa Roma viribus ruit. Wie V. 9 deutlich zeigt, haben wir auch unter dem „suis viribus ruit" ein „nefas" zu verstehen, wenn auch bedingt durch eine Erbschuld. Prof. Karl Vretska hat mich auf die notwendige Einschränkung dieser Interpretation hingewiesen, daß man die Formulierung „ruit per vetitum nefas" aus einer doppelten Bezogenheit verstehen müsse. Für sich allein betrachtet in Verbindung mit dem Zeitwort „ruo" hat „per" lokale Bedeutung, von den folgenden Versen, besonders von V. 39 „per nostrum scelus" aus gesehen, muß man es auch in dem Sinn: „infolge von vetitum nefas stürzen" verstehen. Wie die Interpretation von Epod. 16, 3—8 (S. 30 f.) gezeigt hat, kommt eine doppelte Bezogenheit von Wörtern, Wortgruppen und ganzen Sätzen bei Horaz zuweilen vor. Vgl. auch zu „forte" S. 35 f.

[37] B. GATZ, a.a.O., S. 164 f., führt im Zusammenhang mit dem „labor improbus" bei Verg. georg. I 145 f. die spezifische Begriffsbestimmung von „labor" auf die Ascendenzlehre bzw. die dialektischen Goldalterversionen zurück. Während „egestas" erster Anstoß zum humanen Leben bedeutet, stellt „labor" ein Zuviel, ein über das Maß Hinausgehendes dar. Der expansive „labor" leitet die Krise des Menschen ein, vgl. Lucr. 5, 1430 ff.

nahezu unmöglich, die komplexe Bedeutung von „malis carere laboribus" entsprechend ins Deutsche zu übertragen.

In V. 15 f. finden wir, durch „melior pars" und indirekt durch „malis carere laboribus" sichtbar gemacht[38], das zweite Hauptmotiv der Epode, das E. Thummer in den Mittelpunkt seiner Betrachtung stellt, nämlich das Motiv der „pietas". Jedoch hat E. Thummer in diesem Zusammenhang übersehen, daß die gesamte Epode unter dem Aspekt der Polarität zwischen „pietas" und „impietas", die sich in zwei verschiedenen Spannungsbögen formal nachweisen läßt, zu betrachten ist, einer Polarität, der sie vorwiegend ihre eigentümliche Wirkung verdankt. Horaz entwickelt im Laufe des Gedichtes beide Sphären. Er setzt sie im ersten Teil der Epode in ein spannungsreiches Verhältnis zueinander, das schließlich zu einer Trennung und zu einer absoluten Gewichtsverlagerung zugunsten der „pietas" im zweiten Teil des Gedichtes führt[39].

An dieser Stelle und rückblickend auf den Beginn der Behandlung der schwierigen V. 15/16 lohnt es sich, noch einmal einen Blick auf „forte" zu werfen und einige Worte über seine problematische Stellung im Vers zu verlieren[40]. Denn bei eingehender Betrachtung erfüllt es eine zweifache Funktion. Zieht man es nämlich zu „communiter", würde das bedeuten, daß der Dichter einerseits noch hofft, die gesamte Bürgerschaft werde sich für die „pietas" entscheiden, andererseits diese Hoffnung eben durch das einschränkende „forte" zugunsten einer „melior pars" bereits hier beinahe preiszugeben scheint: „Ihr sucht — was helfen könnte — vielleicht alle gemeinsam oder wenigstens der bessere Teil ...". Stellt man es jedoch

---

[38] E. THUMMER, a.a.O., S. 344, weist auf die Gegenüberstellung von melior und malis hin.
[39] Siehe S. 42 ff.
[40] J. N. MADVIG hat, wie bereits erwähnt wurde (siehe S. 31, Anm. 30) „forte" als Neutrum von „fortis" aufgefaßt und nach „expediat" interpungiert. — K. BARWICK, a.a.O., S. 40 f., schließt sich dieser Interpretation an und übersetzt: „Nur eine tapfere Tat kann frommen!" Diese Lösung ist formal möglich, läßt sich jedoch m. E. nicht mit der Absicht des Dichters vereinen. Sein Vorschlag ist — das weiß er — für römische Bürger unerhört, sein Ton daher am Anfang eher ein fragender, unsicherer, der sich erst V. 39 „vos, quibus est virtus, ... volate ..." ändert, in dem Augenblick, da sich wenigstens die „melior pars" durch die Worte des Dichters hat bewegen lassen. Anfänglich habe ich angesichts der großen Schwierigkeiten dieser Verse an ein Verderbnis von „forte" gedacht und Konjektur (forte = verschrieben aus „ferte") in Erwägung gezogen.

    Ferte quod expediat! ... Stellt einen Antrag, ... oder
    Bringt eure Meinung vor, ...!

In dieser Bedeutung läßt sich „ferre" wiederholt bei Cicero belegen: Cic. Pro Mil. 15 — Att. 1, 18, 4 — Verr. II 1, 26 u. a.; ferner bei Livius VI 40, 12: „abi hinc cum tribunatibus ac rogationibus tuis?" Quid? si tu non tuleris, quod commodum est populo accipere, nemo erit qui ferat? Absolut gebraucht findet es sich bei Cic. dom. 79: L. Sulla dictatore ferente comitiis centuriatis municipiis civitatem ademit. — Nachträglich habe ich diese Konjektur im Komm. v. K. LEHRS S. CXXXIV gefunden. Lehrs geht allerdings noch viel weiter, indem er auch „quaeritis" als verdorben annimmt:

    ferte quod expediat communiter aut melior pars
      malis carere quo velit laboribus.

Aber selbst die Veränderung des „forte" zu „ferte" erscheint mir zu unsicher, weil „forte" einheitlich in allen Handschriften überliefert wird. Solange man für die Überlieferungen eine Erklärung finden kann, wird man an ihr festhalten müssen.

über den ganzen Satz, so käme man zu folgender Bedeutung: „Vielleicht — was helfen könnte — sucht ihr alle oder wenigstens der bessere Teil (wie ich, wäre zu ergänzen) malis carere laboribus."

In beiden Fällen, im ersten durch die Form der Frage allein, im zweiten durch die Unterordnung des gesamten Satzes unter das betont gesetzte „forte", ist die Entscheidung für die „pietas" noch nicht gefallen, vielmehr durchaus in Frage gestellt, und zwar für alle, mit Ausnahme des Dichters freilich; doch scheint im ersten Fall die „melior pars" bereits von der Gesamtheit der Bürger distanziert und damit zugleich dem Dichter nähergerückt. Somit wird eben durch diese ungewöhnliche Stellung des „forte" ein eigentümlicher Effekt erzielt. Die später vollzogene Trennung scheint anzuklingen, beinahe schon vollzogen und doch wieder merkwürdig in Frage gestellt. Mag sein, daß unter dem Aspekt seiner Bedeutung für den gesamten Satz und seiner zweifachen Bezogenheit diese an sich ungebräuchliche Stellung des „forte" in der Bedeutung „vielleicht" zu rechtfertigen ist. Tatsache ist, daß „forte" in der 2. Bedeutung „zufällig", „durch Zufall" bei Dichtern häufig und gern an der Spitze eines Verses steht[41]. Es wäre durchaus denkbar, daß Horaz ausgehend von diesem häufigen Gebrauch auch das sonst nur enklitisch vorkommende „forte" in der Bedeutung „vielleicht" an die Spitze des Verses gestellt hat. Wie Wortuntersuchungen bei Horaz immer wieder zeigen, verwendet gerade er mit Vorliebe einzelne Wörter und Begriffe in einer für seine Zeit ungewöhnlichen und seltenen Bedeutung, viele Begriffe finden sich in völlig neuem Sinnzusammenhang, in dem wir sie erst wieder nach Horaz belegt finden[42]. Möglicherweise ist Horaz auch in diesem auffälligen Gebrauch von „forte", der sich erst bei späteren Autoren nachweisen läßt, seiner Zeit voraus[43]. Darüber hinaus aber sollte man nicht vergessen, daß wir im Lateinischen ein einziges Wort für zwei durch unseren Sprachgebrauch getrennte Bedeutungssphären vor uns haben, für den Römer nur in Nuancen aus dem Sinnzusammenhang heraus unterschieden. Erst im Verband der Wörter gewinnt es für ihn die besondere Färbung. Die beiden genannten Bedeutungsbereiche, trotz verschiedener Begriffe auch im Deutschen benachbart, könnten im Lateinischen, am ehesten wohl in der gesprochenen Sprache wie hier, zuweilen fließend gewesen sein, zumal in unserem Zusammenhang auch die Bedeutung „zufällig" zwar weniger treffend, aber nicht völlig ausgeschlossen ist:

„Sucht ihr — was helfen könnte — zufällig alle oder wenigstens der bessere Teil . . ."

oder: „sucht ihr durch Zufall (wie ich) — was helfen könnte — alle oder wenigstens der bessere Teil . . ."

Die V. 17—22 bringen den Vorschlag des Dichters, in seinen Augen den besten, um frei zu sein von „mali labores". Er beginnt mit einem Vergleich: „Phocaeorum

---

[41] Horaz, sat. I 1, 48. — Vergil: z.B. Aen. VIII 102, X 653, XII 766, III 22, Ecl. VII 1 etc.
[42] Vgl. z.B. S. 37, Anm. 46: exsecror, S. 39, Anm. 54: pigeat, S. 41: lavare, S. 47: circumvagus.
[43] Bereits bei Vitruv VI Praef. 4 findet sich „forte" betont, wenn auch nicht an der Spitze des Satzes, so doch in einer von dem geforderten Gebrauch (S. 31, Anm. 29) abweichenden Verbindung: sed forte nonnulli haec levia iudicantes putant eos esse sapientes, qui pecunia sunt copiosi.

velut ... exsecrata civitas". Wie in den Kommentaren schon lange bemerkt wurde, bezieht sich Horaz in diesem Vergleich auf Herodot I 165[44]. Wie er freilich diese Herodotstelle verwendet, ist trotz aller Kritik[45], die daran nicht vorbeigegangen ist, bemerkenswert.

Es ist eine Eigentümlichkeit des Horaz, wie wir noch im Laufe dieser Arbeit an zwei Beispielen sehen werden, wiederholt Vergleiche zu wählen, die nur in einem Zug oder auch in mehreren für die Aussage wesentlichen Zügen mit dem Verglichenen übereinstimmen. Eine vollkommene Übereinstimmung liegt offensichtlich gar nicht im Interesse des Dichters. Diese Technik führt dazu, daß manche Vergleiche bei flüchtiger Betrachtung unpassend erscheinen mögen. Meist wird der für die jeweilige Stelle wesentliche Teil des Vergleiches auch sprachlich gekennzeichnet, wie hier:

V. 17 f.   Phocaeorum / velut profugit exsecrata civitas

u. V. 35 f.   haec et quae poterunt reditus abscindere dulcis
eamus omnis exsecrata civitas

Das entscheidende Wort ist exsecrata[46], das hier soviel wie „unter Selbstverwünschungen schwören" bedeuten muß[47]. Denn, wenn es in der Epode in V. 18 noch „verwünschen" bedeuten könnte, so ist dies in V. 36 unmöglich. Doch auch in V. 18 widerspricht diese Art der Übersetzung wenigstens der griechischen Vorlage; denn die Phokäer verfluchen nicht ihr Land, sondern „ἐποιήσαντο ἰσχυρὰς κατάρας τῷ ἀπολειπομένῳ ἑωυτῶν τοῦ στόλου ...". Darin stimmen beide Schilderungen, die des Dichters und die des Geschichtsschreibers, überein[48]. Die Verse 19/20 stehen —

[44] F. SKUTSCH, a.a.O., S. 363 meint, Horaz habe diesen Vergleich nicht aus Herodot, sondern eher aus des Xenophanes ἔπη über τὸν εἰς 'Ελέαν τῆς 'Ιταλίας ἀποικισμόν bei Diog. Laert. IX, 20 genommen. – Vgl. auch M. GIGANTE, a.a.O., S. 224.

[45] Besonders Th. PLÜSS, Jambenbuch, S. 105.

[46] Das Zeitwort „exsecror" bedeutet dem ThLL. zufolge soviel wie „sacrum esse dicere" oder „devovere". Dort werden auch fälschlich die beiden Horazstellen Epod. 16, 18 und 37 angeführt, deren Bedeutung, wie oben dargelegt wurde, in der 16. Epode eine andere sein muß. Parallelstellen lassen sich nicht nennen.

[47] C. WEYMAN, a.a.O., S. 743: exsecrari prägnant ist sub exsecrationibus iurare. Vgl. auch Komm. Plessis.

[48] H. DREXLER, a.a.O., S. 130, irrt, wenn er meint: „Dagegen (nämlich im Gegensatz zum Fluch der Phokäer bei Herodot) gilt der Fluch in V. 18—20 dem Land als solchem. Dies wird deutlich, wenn man ‚inominata cubilia' V. 38 heranzieht, vor allem V. 20 mit 10 vergleicht." — Auch bei Horaz gilt der Fluch der Phokäer nicht dem Land, ebensowenig wie er im Anschluß an den Römerschwur dem Land selbst gilt; wenn man „exsecrata" in V. 36 mit „verfluchen" übersetzen wollte, käme man zu einer geradezu widersinnigen Äußerung des Dichters: „exsecrata (v. 35), haec et quae poterunt reditus abscindere dulcis", würde dann das Gegenteil von dem bedeuten, was der Dichter sagen wollte, der Fluch würde dann all dem gelten, was eine Rückkehr unmöglich macht. — Es steht außer Zweifel, daß „exsecrata" hier eine sinngemäße Wiederaufnahme des „exsecrata" von V. 18 und — was wichtiger erscheint — eine Wiederaufnahme des „sed iuremus in haec" (V. 25) ist; vgl. „in haec" (V. 25) und „haec" (V. 35). Zu V. 20 siehe oben. — Nicht kann ich mich der Auffassung H. DREXLERS anschließen, der a.a.O., S. 132, im Zusammenhang mit V. 19 der Epode zu folgendem Schluß gelangt: „Es ist keine persön-

wenn man will — in einem gewissen Widerspruch zur griechischen Quelle, denn die
Phokäer überließen ihre Heimat den Persern. Die Worte „apris reliquit et rapacibus
lupis" sind wohl symbolisch zu verstehen: sie überließen ihre Stadt dem Feind und
damit einem ungewissen Schicksal der Zerstörung und des Verfalles. Wie schon ad
V. 10 gesagt wurde, liegt hier ein Topos vor, den der Dichter mit Absicht wiederaufgenommen hat, um die Parallele zu unterstreichen. Die Gemeinsamkeit im
Schicksal der beiden „civitates" besteht darin, daß sie dem Untergang ihrer Stadt
nicht wehren können, die einen infolge der Übermacht des Feindes, die anderen in
der Erkenntnis eines gottgewollten Fatums.

In den V. 21/22 wird der geplanten Auswanderung noch kein festes Ziel gesetzt,
denn nicht das Ziel ist vorerst von Bedeutung für den Dichter, sondern allein der
Entschluß, Rom um der Bewahrung der „pietas" willen zu verlassen. Besser als zu
bleiben und den Untergang der Stadt mit eigener Hand herbeizuführen, ist es „ire
pedes quocumque ferent[49], quocumque per undas Notus vocabit aut protervos
Africus". Wie Kukula bemerkt hat[50], erwähnt Horaz hier gerade die beiden der
Schiffahrt besonders ungünstigen Winde, den Notus und den Africus[51]. Doch darf
man den Grund dafür nicht etwa in einer gewollten Ironie des Dichters gegen den
Vorschlag selbst sehen. Eher drücken die Verse die Unbedingtheit des Entschlusses
aus: weder an der Ungewißheit des Zieles noch angesichts der Gefahren des Meeres
soll dieser Plan scheitern.

In den Versen 23—25 wendet sich der Dichter abermals mit einer direkten Frage
an die Versammlung:

sic placet? an melius quis habet suadere? . . .

und schließt mit der Aufforderung die Schiffe zu besteigen. Mit den V. 25—34 führt
Horaz die Parallele zum Auszug der Phokäer fort;

liche und freie Bindung, die die Auswanderer auf sich nehmen, sondern das Land, das
sie verlassen, ist verflucht." Dies könnte bestenfalls auf die Römer zutreffen, obwohl
auch ihr Entschluß, wie die Epode zeigt, ein freier ist. Die Gründe zur Auswanderung
sind, wie oben dargelegt wurde, bei den Phokäern und Römern verschiedenen Ursprungs.

[49] Henri JANNE: a.a.O., S. 123: „. . . cette expression même est un sarcasme; c'est la traduc-
tion littérale d'une locution proverbiale, ἀπιέναι ἔνθα ἄν οἱ πόδες φέρωσιν l'équivalent
de l'allemand, „der Nase nach gehen" ou du français „aller au petit bonheur" . . ."
[50] R. C. KUKULA, Römische Säkularpoesie, Leipzig/Berlin 1911, S. 19 f.
[51] Zur Unterstreichung dieser Behauptung seien hier die bei Horaz vorkommenden Stellen
vollzählig angeführt:

Africus:	C. I 1,15	luctantem Icariis fluctibus Africum / . . . metuens
	I 3,12	. . . nec timuit praecipitem Africum / decertantem Aquilonibus / nec tristis Hyadas nec rabiem Noti
	I 14,5	et malus celeri saucius Africo . . .
	III 23,5	nec pestilentem sentiet Africum / fecunda vitis
Notus:	I 7,15	(positiv) albus ut obscuro deterget nubila caelo / saepe Notus neque parturit imbris / perpetuos
	I 28,21	me quoque devexi rapidus comes Orionis / Illyricis Notus obruit undis
	III 7,5	ille Notis actus ad Oricum . . .
	IV 5,9	. . . quem Notus invido / flatu . . .
	epod. 9,31	exercitatas aut petit Syrtis Noto
	epod. 10,19	Ionius udo cum remugiens sinus / Noto carinam ruperit.

> sed iuremus in haec: simul imis saxa renarint
> vadis levata, ne redire sit nefas;
> neu conversa domum pigeat dare lintea, ...

entspricht den Worten des Herodot: „πρὸς δὲ ταύτῃσι καὶ μύδρον σιδήρεον κατεπόντωσαν καὶ ὤμοσαν μὴ πρὶν ἐς Φώκαιαν ἥξειν πρὶν ἢ τὸν μύδρον τοῦτον ἀναφανῆναι." Die Parallele ist vollkommen, doch wird bei Horaz die Schwere dieses Eides einerseits durch eine Reihe weiterer Adynata unterstrichen[52], andererseits durch die fast sakrale Wendung „ne redire sit nefas"[53], sowie durch das Zeitwort „pigeat" in V. 27[54].

Eine Rückkehr — für die Phokäer in die Knechtschaft (Her. I 164 οἱ δὲ Φωκαιέες περιημεκτέοντες τῇ δουλοσύνῃ), für die Römer in den schicksalhaften Bannkreis der „impia facta" — muß, was immer auch geschehe, unmöglich sein. Dieser Schwur sollte nichts anderes bewirken, als daß die Aufhebung der schweren Entscheidung

[52] In diesem Zusammenhang kann ich mich nicht der Meinung DREXLERS anschließen, der a.a.O., S. 132, schreibt: „Die Disposition der Adynata hat Heinze im allgemeinen richtig angegeben. Die Reihe beginnt mit der ‚historischen, sprichwörtlichen Φωκαιέων ἀρά‘, die Horaz aus Herodot übernommen hat. Dort freilich versenken die Phokäer selbst das Eisen; hier ist eine leere, formelhafte Figur daraus geworden. Nur wenn man Herodot aufschlägt, versteht man „simul imis saxa ... levata" in seinem eigentlichen Sinn. Aber erst durch die Degradation zur Figur wird dies erste Adynaton geeignet, den Reigen zu eröffnen, wie andererseits wahrscheinlich der Verlust an Sinngehalt, den die Übernahme zur Folge hatte, Horaz zu dem Versuch veranlaßt hat, dem Mangel durch ‚copia‘ abzuhelfen." — Horaz beabsichtigte sicher, durch die kompositorische Loslösung dieses Adynatons von den anderen, was übrigens auch Drexler als merkwürdig bezeichnet, seine Entlehnung deutlich kenntlich zu machen. Er folgt jedoch nur in freier Imitatio seinem Vorbild, indem er die Handlung der Phokäer befreit von jeder menschlichen Initiative, verallgemeinert und damit lückenlos mit der folgenden Reihe der Adynata verbindet, die alle Veränderungen in der Natur ohne Zutun der Menschen zum Inhalt haben. Die Verwandlung des μύδρος σιδήρεος in „saxa" entspricht dem für Realität ausgeprägten Sinn des Dichters. — Der antike Leser hat diese Imitatio sicher erkannt und gewürdigt, doch hätte er zum Verständnis der Stelle ebensowenig wie wir die Schilderung des Herodot vor Augen haben müssen; das Adynaton ist zwar neu, aber durchaus für sich allein betrachtet sinnvoll und verständlich. — J. KROLL, Horazens sechzehnte Epode und Vergils erste Ekloge. H. 49/1914, S. 629 spricht auch von der nachdrücklichen Betonung des Gesagten durch eine Reihe von Adynata.

[53] E. THUMMER, a.a.O., S. 345: „Wichtiger aber für das Verständnis des Gedichtes ist es, darauf zu achten, daß es Horaz als „nefas" bezeichnet, vor dem Umstoß der Naturordnung nach Hause zurückzukehren (V. 26). Auch dieser Ausdruck zeigt, daß der Dichter nicht sosehr an eine Flucht vor dem Unheil als vielmehr an ein Vermeiden von „impia facta" denkt, denn zu einem „nefas", einer Freveltat gegen Gott und Religion, wird die Heimkehr nur dann, wenn sie Rückkehr zur frevlen Taten, nicht zu großem Leid bedeutet."

[54] piget: ist ein Hapaxlegomenon bei Horaz; in der Bedeutung „bereuen" ist es vor Horaz kaum gebräuchlich (Ter. Phorm. 554), in einem beinahe sakralen Ton, wie hier, überhaupt nicht. In anderer Bedeutung, wie etwa „verdrießen", „Widerwillen erregen" ist es vor Horaz in der Komödie häufig. Vergil verwendet es einmal in der Bedeutung „verdrießen" in den Georgica I, 177 und dreimal in der Bedeutung „bereuen" in der Aeneis IV, 335, V, 678, VII, 233. Bei Lukrez läßt es sich nicht belegen. Es scheint, als habe dieses Wort von der Komödie über die 16. Epode des Horaz in dieser Bedeutung in die gehobene Dichtung Eingang gefunden.

durch eben diesen Eid gleichbedeutend mit einem Bruch göttlicher Bindungen notwendig zu einem „nefas" werden muß. Wäre diese Gefahr eines Sich-anders-Besin-
nens nicht gegeben und wäre die Preisgabe der Heimat ein leichtes, hätte es dieses
Schwures wahrhaftig nicht bedurft.

Vom Dichter kompositorisch deutlich abgesetzt, leitet das aus der Schilderung
des Herodot abgeleitete Adynaton (V. 25/26) eine geschlossene Reihe weiterer
Naturwidrigkeiten ein (V. 28/34), die rhetorisch effektvoll dem Gesagten besonderen Nachdruck verleihen[55].

Die Bedeutung, die stilistischen Merkmale und der besondere Charakter des
Adynatons in der antiken Literatur ist, wie E. Dutoit bemerkt, noch wenig er-
forscht; auch in den Lehrbüchern der Rhetorik und in den antiken Grammatiken
hat dieses Stilmittel wenig Beachtung gefunden[56]. „Souvent, dans la poésie antique,
une affirmation de ton sentencieux, une parole d'étonnement ou d'indignation, une
promesse de fidélité est accompagnée de l'expression de quelque paradoxe: le poète,
pour représenter un fait ou une *action comme impossible,* absurdes ou invraisem-
blables, les met en rapport avec une ou *plusieurs impossibilités naturelles.*"[57] Während die griechischen Dichter im Gebrauch von Adynata sparsam sind und keine
besondere Vorliebe für einen gehäuften Gebrauch dieses Stilmittels zeigen[58], nimmt
das Adynaton in der lateinischen Literatur eine bedeutende Stellung ein. „Il subit
une élaboration littéraire très sensible, il s'amplifie jusqu'à occuper cinq hexa-
mètres, il attire l'attention par le ton et le rythme, par certaines tournures que nous
avions déjà considérées comme un effet de l'art chez les Grecs."[59] Wie E. Dutoit
ausdrücklich betont — dies läßt sich auch sofort an Hand der Werke des Horaz
beweisen — zeigt gerade Horaz sich im Gebrauch von Adynata zurückhaltend[60],
„qui l'eût été peut-être plus encore si cet homme de bon goût avait pu prévoir les
folies que tels de ses successeurs se permettraient"[61]. Obwohl Horaz in den V. 28
bis 34 angeführten Beispielen in einer literarischen Tradition steht, ist die Gestaltung der einzelnen Adynata durchaus originell, wie auch die Umgestaltung der
Herodotstelle gezeigt hat[62].

In V. 28 „quando / Padus Matina laverit cacumina" wandelt, wie Heinze und
vor ihm schon andere bemerkt haben, der Dichter ein Motiv des Euripides (Med.
410) ab, „das andere unverändert wiederholen"[63]. Horaz läßt den Fluß — und das

[55] Ernst Doblhofer hat in seinem Buch „Die Augustuspanegyrik des Horaz in formal-
historischer Sicht", Heidelberg 1966 gezeigt, wie groß die Einflüsse der Rhetorik auf die
Lyrik des Horaz sind. Vgl. auch Kukula, a.a.O., S. 13.
[56] Ernest Dutoit: Le Thème de l'Adynation dans la Poésie antique. Paris 1936, S. X.
[57] Ernest Dutoit: a.a.O., S. IX.   [58] Ernest Dutoit: a.a.O., S. 50.
[59] Ders., a.a.O., S. 154.
[60] Bei Horaz vorkommende Stellen: Epod. 5, 79—82, Epod. 15, 7—10, C. I 29, 10—12,
C. I 33, 7—9, C. III 30, 7—9. In der späten Odensammlung des 4. Buches findet sich kein
Beispiel, ebensowenig in den Satiren und Episteln (dazu siehe E. Dutoit, S. 90).
[61] Ernest Dutoit: a.a.O., S. 155.   [62] Siehe S. 39, Anm. 52.
[63] Siehe Heinze: Verg. Aen. I, 607, XI, 405, Prop. II 15, 31 ff., III 19, 6 Ovid, Trist. I 8, 1.
Zu diesen Stellen wäre noch eine weitere bei Horaz selbst hinzuzufügen, C. I 29, 10 ff.,
in der das Motiv ebenfalls unverändert übernommen wird: ... quis neget arduis/pronos
relabi posse rivos/montibus et Tiberim reverti ... R. Crahay-J. Hubaux, Le Pô et le

ist neu — nicht nur zu seiner eigenen Quelle, sondern auf den Gipfel eines ihm fremden, weit entfernten Berges zurückströmen[64]. Das Zeitwort „lavare", von einem Fluß gebraucht, findet sich erst wieder bei Prudent. C. Symm. II 607, von Ebbe und Flut verwendet es Seneca in den Troad. 383 f.[65]. V. 29 „in mare seu celsus procurrerit Appenninus" ist eine eigenständige Schöpfung horazischer Phantasie, eine geistreiche Umkehrung des ersten Motives, die sich nirgends vor ihm findet. In diesem Vers fällt besonders der dynamische Charakter horazischer Sprache auf: „celsus procurrerit Appenninus"[66]. Nach V. 29, also in der Mitte des Schwures, könnte man eine motivisch bedingte Caesur annehmen. Bis hierher spricht Horaz von der unbelebten Natur, von den Felsen im Meer, vom Fluß und vom Gebirge. Mit V. 30 treten wir in den Bereich der belebten Natur, in die Welt der Fauna ein. Die Verse 30—32 haben den „mirus amor" einander feindlicher Tiere zum Thema. Zwei Paare werden genannt, Tiger und Hirsch aus der Säugetierwelt, Habicht und Taube aus der Welt der Vögel[67]. Die Auswahl der Tiere ist originell. Bei Aristophanes EI 1075/76 vereinen sich der Wolf mit dem Schaf[68] und in den oft mit Horaz verglichenen V. 26/28 der 8. Ekloge Vergils die Greife mit den Pferden. Bei Horaz selbst findet sich das Motiv, auf Rehe und Wölfe angewandt, noch einmal in C. I 33, 6 f.

> ... sed prius Apulis
> iungentur capreae lupis,
> quam turpi Pholoe peccet adultero.

Die V. 33/34 bringen Beispiele für veränderte, der Erfahrung und der Natur widersprechende Gewohnheiten verschiedener Tiere. V. 33[69] durch „credula" eindeutig

Matinus. Stud. in Onore di L. Castiglioni I, Firenze 1960, S. 457, die bereits S. 456 die Bez. von V. 25 f. zu Herod. I 165 in Frage stellen, m. E. ohne zureichende Begründung, sehen in V. 28 eine parodische Anspielung auf Verg., georg. I 481 ff. In der Folge wird d. Versuch gemacht, alle Adynata mit Ausnahme von V. 32, der außer Betracht bleibt, in mühsamer Mosaiktechnik aus Vergils Bukolika zu rekonstruieren und die V. 25—34 als Parodie auf dieses literarische Phänomen bei Vergil zu deuten. Abgesehen davon, daß die mit Akribie und Konsequenz durchgeführte Konstruktion ohne Rücksicht auf andere Quellen in ihrer Kompliziertheit (vgl. z. B. ad V. 28: S. 461 ff., ad V. 31: S. 465) den Charakter der Parodie unweigerlich verfehlen muß, läßt sich die Auseinandersetzung d. Horaz mit Vergil, die offenkundig vorliegt, nicht unter einem literarischen, sondern nur unter einem geistesgeschichtlichen Aspekt verstehen.

[64] Zu „Matina" vgl. Heinze C. I 28 ad V. 3.   [65] Carl WEYMAN, a.a.O., S. 740.

[66] „procurrere" bedeutet eine wirkliche Bewegung (s. Nauck) und nicht, wie Orelli meint, „sich als Vorgebirge ins Meer erstrecken". Es drückt die entgegengesetzte Bewegung zum Emporsteigen des Flusses V. 28 aus.

[67] Heinze weist darauf hin, daß die Ungleichheit der Tiere noch dadurch unterstrichen wird, daß in V. 30 dem Tiger die Rolle des Weibchens zufällt, und daß V. 31 gerade die Taube, für die Antike ein Symbol der Treue, genannt wird.

[68] W. WIMMEL, H. 81/1953, a.a.O., S. 324 f. tritt für eine Abhängigkeit des Horaz von Lucrez 3, 750/2 ein und spricht von einer ähnlichen Motiventwicklung wie bei Hom. Il. 22, 263 und Aristoph. EI 1076.

[69] V. 33 wurde besonders im Rahmen der Auseinandersetzung um die Priorität der 4. Ekloge und der 16. Epode häufig diskutiert: u. a. F. SKUTSCH, a.a.O., S. 371 f., K. WITTE, Horaz und Vergil, S. 16 f., A. KURFESS, Phil. 91, S. 418, H. DREXLER, a.a.O., S. 133 ff., H. JANNE, a.a.O., S. 121, B. SNELL, H. 73, S. 238 f., W. WIMMEL, H. 81, S. 326.

als Tierfriedensmotiv charakterisiert, schließt sich motivisch gut an V. 32 an[70]; er
bildet andererseits eine Gedankenbrücke zu V. 34, denn wie der Bock das ihm
fremde Element liebt — „amet" bezieht sich sprachlich wieder auf V. 32 — so legen
V. 33 die Rinder die ihnen angestammte Furcht vor den Löwen gutgläubig ab.
Der folgende Vers 34 bringt ein in der Sprache der Adynata häufiges Motiv:
ein Tier verläßt den ihm von der Natur zugewiesenen Lebensbereich und sucht ein
fremdes Element auf: so bei Archilochos fr. 74 D die wilden Tiere das Meer und die
Delphine das Gebirge; bei Lukrez 1, 161—166 entstammen die Menschen dem Meer
und die Fische der Erde[71], ·3, 784—786 bevölkern die Fische die Äcker. Dasselbe
Motiv der am Lande lebenden Fische finden wir auch bei Vergil Ekloge I 59—63
und bei Properz II 15, 29—35. Bei Properz II 3, 5—8 lesen wir wieder beide Varian-
ten: quaerebam, sicca si posset piscis harena / nec solitus ponto vivere torvus
aper ..." Wie die Zusammenstellung der Stellen zeigt, wählt Horaz auch in diesem
Fall nicht das gebräuchlichere Bild des Fisches auf dem Lande, sondern prägt ein
eigenes, sprachlich originelles Bild:

ametque salsa levis hircus aequora[72],

wobei das „nec timeant" des vorangegangenen Verses bewußt durch die Wahl des
Zeitwortes „amet" gesteigert wird.

c) Zweiter Abschnitt: V. 35—40

Die Verse 35—40 bilden das Kernstück der Epode, wie auch aus dem Aufbau des
Gedichtes zu ersehen ist. Hier fällt die eigentliche Entscheidung darüber, ob die
gesamte Bürgerschaft dem Vorschlag des Dichters zu folgen bereit ist. Die Verse
35/36 stellen wie die Verse 9/10 die Verbindung zum vorhergehenden Abschnitt
her. Sprachlich wird dies durch die Wiederaufnahme des Begriffes „exsecrata" von
V. 18 ausgedrückt, entsprechend der Beziehung zwischen „perdere" V. 3 der Einleitung und „perdemus" von V. 9 im ersten Abschnitt der Epode. Der gesamte
Schwur „sed iuremus in haec ..." (V. 25—34) wird in V. 35 „haec et quae poterunt
reditus abscindere dulcis / ... exsecrata" zusammengefaßt. Auch hier bedeutet
„exsecrata" wie in V. 18 „unter Selbstverwünschungen schwören".

In seine entscheidende Phase tritt das Gedicht jedoch mit V. 36; hier und in den
folgenden Versen bis V. 39 hat der Dichter die beiden Sphären, jene der „impietas"
und die der „pietas", aufs engste verknüpft, um sie dann endgültig zu trennen. In
V. 36 sehen wir noch die gesamte Bürgerschaft als ein Ganzes vor uns: „eamus omnis

---

[70] Anders B. SNELL, a.a.O., S. 238, doch scheint der von ihm aufgezeigte Widerspruch etwas
   gesucht, besonders wenn man diese Zeilen unter dem allg. Aspekt eines naturwidrigen
   Verhaltens verschiedener Tiere sieht, das sich, auf die Herden bezogen, aus dem Adjektiv „credula" klar ergibt. B. GATZ, a.a.O., S. 172 f.: bereits bei Aristoph. EI 1076 findet sich das dem prophetischen, jüdisch-sibyllinischen Schrifttum geläufige Tierfriedensmotiv im Katalog d. Adynata.
[71] Bemerkenswert ist, daß sich dieses Adynaton bei Herodot V 92 zu Beginn einer Rede
   des Sosiklees aus Korinth findet.
[72] R. CRAHAY-J. HUBAUX, a.a.O., S. 467, stellen diesen Vers mit Verg. Ecl. 1, 59 zusammen.

... civitas". Wie in V. 15 hebt der Dichter in V. 37 aus dieser Gesamtheit eine „melior pars" heraus, „indocili melior grege", aber nun mit größerer Entschiedenheit. Rückschauend könnte man sagen, daß demnach „omnis civitas" beide Elemente, Negatives und Positives, in sich schließt. Noch im selben Vers, sowie im folgenden verurteilt Horaz jene „indocilis grex" zum Zurückbleiben in Rom: „mollis et exspes inominata perpremat cubilia"[1], d. h., wie sprachlich durch „inominata" deutlich wird, zum Verlust ihrer „pietas", dem sie „mollis et exspes" entgegensieht. In V. 39 stehen im Gegensatz zur „omnis civitas" (V. 36) nur mehr jene vor uns, „quibus est virtus", virtus, die Heimat zu verlassen, um die eigene „pietas" zu retten. Gerade das Wort „virtus" an dieser Stelle hat wahre Stürme der Entrüstung gegen Horaz entfacht. Wozu brauche man virtus, um die Heimat in einer Krisenzeit schmählich im Stich zu lassen?[2]

Zu solchen Mißverständnissen kann es nur dann kommen, wenn der wahre Sinn des Gedichtes verdunkelt wird. Denn nicht feige[3] oder voll Abscheu[4] und ohne Trauer[5] verlassen der Dichter und seine „melior pars" ihre Heimat, sondern schweren Herzens mit der Erkenntnis, daß diese Heimat durch ein verhängnisvolles Fatum zum Untergang bestimmt ist, den sie selbst unter dem Verlust ihrer „pietas" herbeizuführen gezwungen wären. Wenn es so leicht wäre, dieses Rom im Stich zu lassen, wozu bedürfte es eines so feierlichen Schwures, um eine Rückkehr,

---

[1] Es handelt sich offenbar um die Vorstellung, daß auch das Land als der Ort der Bluttat von Blutschuld belastet ist und daß dieses Land nur durch Blut entsühnt werden kann. So besteht zwischen dem Ort des Frevels, in diesem Fall Rom, und der ständigen Wiederholung des Brudermordes in Form der Bürgerkriege ein untrennbarer Zusammenhang. Erst in Verbindung mit dieser Vorstellung wird der Gedanke an eine Auswanderung sinnvoll. Auch dieser bei Horaz hier anklingende Gedankenkonex weist m. E. eher in den Bereich jüdischen Denkens als in den griechischer Vorstellungen. Bei den Griechen existiert zwar auch der Glaube, daß eine ungerächte Bluttat den Zorn der Götter über eine ganze Stadt herabziehen kann, vgl. M. P. NILSSON, a.a.O., I., S. 634, ebenso wie die straflose Anwesenheit des Täters vgl. z. B. Soph. Oed. tyr., aber die Vorstellung, wie sie hier vorliegt, daß eine Entsühnung des Landes für vergossenes Blut nur durch Blut erfolgen kann, wodurch sich der bereits aufgezeigte Circulus vitiosus mit unbedingter Notwendigkeit ergibt, steht z. B. der von uns bereits herangezogenen Stelle Mos. 4, 35, 33—34: καὶ οὐ μὴ φονοκτονήσητε τὴν γῆν, εἰς ἣν ὑμεῖς κατοικεῖτε, τὸ γὰρ αἷμα τοῦτο φονοκτονεῖ τὴν γῆν, καὶ οὐκ ἐξιλασθήσεται ἡ γῆ ἀπὸ τοῦ αἵματος τοῦ ἐκχυθέντος ἐπ' αὐτῆς, ἀλλ' ἐπὶ τοῦ αἵματος τοῦ ἐπχέοντος. καὶ οὐ μιανεῖτε τὴν γῆν ἐφ' ἧς κατοικεῖτε ἐπ' αὐτῆς, ἐφ' ἧς ἐγὼ κατασκηνώσω ἐν ὑμῖν... vgl. auch Mos. 1, 9, 5—6, bedeutend näher.

[2] Th. PLÜSS, a.a.O., S. 106, „Das Gedicht ist voll von Widersprüchen: das von Freveln beladene Volk wird zu den „pii", Schmerz über die Zerstörung der Stadt durch Barbaren und der Vorschlag, schnell zu fliehen unter Bezeugung der virtus, Klagen über den Bürgerkrieg, aber kein Vorschlag, ihn zu beenden etc." H. DREXLER, a.a.O., S. 127. — Allgemeiner zur Stelle: H. JANNE, a.a.O., S. 123. — H. FUCHS, Horazens 16. Epode. GArb. V, 1938 Nr. 18, S. 5.

[3] Th. PLÜSS, a.a.O., S. 105: „Die Flucht wird teilweise mit Ausdrücken bezeichnet, welche den Eindruck des Unwürdigen oder des frivol Verwegnen machen ..." Ebenso a.a.O., S. 106.

[4] H. DREXLER, a.a.O., S. 122: „Horaz hat mit dem gegenwärtigen Rom so völlig gebrochen, daß er keinen Gedanken an seine Nöte verschwendet." Ibidem S. 138 f. Bruno SNELL, Die 16. Epode von Horaz und Vergils 4. Ekloge. H. 73, 1938, S. 241.

[5] H. DREXLER, a.a.O., S. 144.

einen „reditus dulcis", wie der Dichter ausdrücklich sagt, unmöglich zu machen?[6] In dem Wort „dulcis" sind alle Empfindungen des Dichters beschlossen, und wer der tiefen Bedeutung dieses Wortes bei Horaz nachgegangen ist, wird dies mit aller Deutlichkeit empfinden[7].

Wem jedoch diese Worte des Horaz nicht Beweis genug sind, den wird der mit großer Sorgfalt ausgewählte Phokäervergleich (V. 18 ff.) überzeugen, der auch noch hinter diesen Versen steht. Herodot schreibt nämlich unmittelbar im Anschluß an den Schwur der Phokäer: „Στελλομένων δὲ αὐτῶν ἐπὶ τὴν Κύρνον ὑπερημίσεας τῶν ἀστῶν ἔλαβε πόθος τε καὶ οἶκτος τῆς πόλιος καὶ τῶν ἠθέων τῆς χώρης, ψευδόρκιοι δὲ γενόμενοι ἀπέπλεον ὀπίσω ἐς τὴν Φώκαιαν."Die Preisgabe Roms, für einen Römer — und Horaz war Römer — ein an sich undenkbares Unterfangen[8], bedurfte einer „virtus" besonderer Art, die der Dichter nicht bei der Masse, sondern nur bei jener „pars indocili melior grege" finden zu können glaubt. Diese „virtus" allein kann dazu verhelfen, die „weibische Trauer" entschieden abzustreifen. Gerade der Ausdruck „muliebrem tollite luctum"[9] in seiner beinahe ver-

---

[6] Erich Thummer, a.a.O., S. 345: „Wenn . . . ,reditus' das Attribut ,dulcis' erhält und jener, der vor den ,mali labores' nicht flieht, sondern in der fluchbeladenen Heimat bleibt, als ,mollis' und ,exspes', die Bereitschaft zur Flucht aber als ,virtus' bezeichnet wird, dann tritt die Vorstellung von einer Flucht aus dem Leid gegenüber jener von der Flucht vor der verletzten ,pietas' gänzlich zurück."

[7] ,dulcis': siehe S. 105.

[8] Harald Fuchs, Widerstand, S. 11: „Zu den vielfältigen Voraussetzungen dieses Aufrufes (zur Auswanderung) gehört vor allem auch die Tatsache, daß der Gedanke einer freiwilligen Preisgabe Roms den Bürgern bereits seit längerer Zeit vertraut gewesen ist. Horaz scheint im besonderen an das Vorhaben des Freiheitskämpfers Sertorius erinnern zu wollen . . .". Dazu wäre zu bemerken, daß derartige Pläne in Rom immer mit Entrüstung und Ablehnung aufgenommen wurden. Siehe Liv. V 51—54, Vergil. Ecl. I, 64 f., Cic. De leg. agrar. II, 86/87: tunc illud vexillum Campanae coloniae vehementer huic imperio timendum Capuam a Xviris inferetur, tunc contra hanc Romam, communem patriam omnium nostrum, illa altera Roma quaeretur. — Matthias Gelzer, Caesar der Politiker und Staatsmann. Wiesbaden 1960, S. 300, führt als Grund für die Mißstimmung gegen Caesar vor seiner Ermordung auch das Gerücht an, „Caesar wolle seine Residenz — der Kleopatra zuliebe — nach Alexandria oder — wegen seiner Abstammung — nach Ilion verlegen" (Suet. Jul. 79, 4, Nikol. Dam. F 130, 68). Vgl. Horaz C. III, 3. Ich glaube nicht, daß man Horaz, abgesehen von der Symbolik des Gedichtes, mit einem Abenteurer, wie Sertorius es war, auf eine Stufe stellen darf, dagegen spricht der Tenor des ganzen Gedichtes. Eine Preisgabe Roms war nicht etwa der Wunsch des Dichters, sondern schien ihm bittere, vom Schicksal auferlegte Notwendigkeit.

[9] H. Drexler, a.a.O., S. 138 f., meint, daß dieser Ausdruck hier unpassend wäre, da das Volk Schlaffheit und nicht Trauer beherrsche, den Dichter selbst aber absolviere. Er erklärt sich diesen unpassenden Ausdruck aus der Nachahmung von Archilochos 7, 1 f. D, von Heinze und anderen wird als Parallele Arch. fr. 7, 10 D angeführt. Doch meine ich im Gegensatz zu Drexler, daß es in der Folge des feierlichen Schwures, der einen „reditus dulcis" unmöglich machen soll, und auch in Parallele zu der oben zitierten Herodotstelle keineswegs sonderbar anmutet, wenn der Dichter und die zur Auswanderung entschlossene „melior pars" von Trauer erfüllt sind. Der Ausdruck „mulieber luctus": Die Verbindung findet sich vor Horaz nie, sie ist auch keine direkte Übertragung des griechischen γυναικεῖον πένθος, das eher dem lateinischen „mulieber dolor" entspricht (mulieber dolor findet sich bei Cic. Cluent. 13 und Scaur. 9). Inhaltlich nahe steht dem Ausdruck „mulieber luctus" Cic. Tusc. II, 48: „si se lamentis muliebriter lacrimisque dedet".

ächtlichen Schärfe, wie auch die durch den zweiten Imperativ „volate"[10] ausgedrückte Schnelligkeit des Aufbruches läßt den Schmerz des „Sich-trennen-Müssens" deutlicher spürbar werden, als jeder Ausdruck des Bedauerns es vermöchte. Die „melior pars" ist demnach auch keine kompositorische Verlegenheit des Dichters[11] und die schon besprochenen V. 15/16, in denen sie zum ersten Mal begegnet, sind nicht deshalb so schwierig zu verstehen, weil der Dichter diese Verlegenheit zu vertuschen suchte[12], sondern sie drücken eine spezifische Erkenntnis des Dichters aus, die in den V. 15/16 anklingt und in den V. 36—39 klar vor unsere Augen tritt. Wohl wäre es schön — so meint der Dichter — wenn die gesamte Bürgerschaft von „mali labores" frei zu sein wünschte; doch schon dort (V. 15/16), durch „forte" unterstrichen, kommen ihm Bedenken und zweifelnd setzt er dem „communiter" sein „aut melior pars" entgegen. In den V. 36—38 wird der Zweifel zur Gewißheit, so daß Horaz V. 39 endlich sagt: „vos quibus est virtus muliebrem tollite luctum / ... volate"[13].

Zum Abschluß dieses Kernstücks der Epode sei noch einmal deutlich ausgesprochen, daß beide, „omnis civitas" und „melior pars", Bestandteile der „devoti sanguinis aetas" sind; aber noch haben sie sich nicht mit eigener Schuld befleckt, das heißt, sie sind selbst „pii"[14]. Jene die dem Bannkreis des ererbten Fluches entfliehen, der an die Stätte des ersten Verbrechens gebunden ist — denn nichts anderes bedeutet „inominata cubilia"[15] — werden ihre „pietas" bewahren können, die anderen müssen sie, dem Fluch des Blutes nach und nach verfallend, verlieren. „Inominata" in V. 38 nimmt das „inpia" von V. 9 gedanklich und sprachlich wieder auf.

---

[10] Orelli bemerkt darüber hinaus im Komm.: „Felicissime autem gloriosae huius fugae celeritatem ipsis numeris tam volubilibus expressit poeta." — K. WEYMAN, a.a.O., S. 743, bemerkt, daß „volare" gerne von Seefahrern gebraucht wird. Es drückt zumeist die Schnelligkeit der Bewegung aus, so z. B. Horaz C. I, 37, 16: Caesear ab Italia volantem / remis adurgens. Häufig bei Vergil: Aen. III, 124: linquimus Ortygiae portus pelagoque volamus. Aen. V 218 f.: sic ipsa fuga secat ultima Pristis/aequora, sic illam fert impetus ipse volantem. Georg. II, 41: Maecenas, pelagoque volans da vela patenti. Aen. IX, 47: Turnus, ut ante volans tardum praecesserat agmen. Aen. XI, 746: ... volat igneus aequore Tarchon / arma virumque ferens. Aen. XII, 450.

[11] H. DREXLER, a.a.O., S. 126 f. Ebenso H. DREXLER, Horaz, Lebenswirklichkeit und ethische Theorie, Göttingen 1953, S. 31 (im folgenden mit „Lebenswirklichkeit" zitiert).

[12] DREXLER, a.a.O., S. 129: „Der Grund für die verzwickte Fassung der beiden Verse, die der Interpretation so große Schwierigkeiten bereiten, liegt nicht in ihnen selbst, sondern in dem inneren Widerspruch, an dem der Zusammenhang im großen krankt. Da er nicht zu beheben war, ist es vielleicht das kleinere Übel gewesen, ihn in dieser Weise zu verdecken."

[13] K. BARWICK, a.a.O., S. 63.

[14] Wenn man diesen Gedankengang des Dichters übersieht, gerät man in unüberbrückbare Schwierigkeiten: so H. DREXLER, Lebenswirklichkeit, S. 30. — Harald FUCHS, Horazens 16. Epode. GArb. 5/1938, S. 5, sieht sich demselben Widerspruch gegenüber und sucht ihn durch die Übernahme fremden Gedankengutes zu erklären und zwar durch die Übernahme von Vorstellungen der östlichen Welt. Wir werden darauf noch zu sprechen kommen. — Siehe S. 80 ff. — Siehe auch Th. PLÜSS, a.a.O., S. 106. — Im Gegensatz dazu E. THUMMER, a.a.O., S. 345.

[15] Vgl. S. 43, Anm. 1.

d) *Dritter Abschnitt: V. 41–66*

Mit V. 41 beginnt der letzte und bedeutendste Abschnitt des Gedichtes. Nun, da die Entscheidung gefallen ist, tritt der Dichter solidarisch an die Seite der „melior pars", bereit, mit ihr die Heimat zu verlassen. Statt „vos" (V. 39) steht nunmehr „nos" an der Spitze des Verses.

In den Versen 41/42 wird das Ziel der Auswanderung genannt. Es klingt wie ein Trost, wenn der Dichter sagt: „nos manet Oceanus circumvagus arva beata / petamus arva divites et insulas." Henri Janne, der zu V. 41 schreibt: „Il ne nous reste plus que l'Océan infini. C'est là de l'ironie désespérée", hat zwar unbewußt die Schwierigkeit einer Interpunktion nach „circumvagus", die uns im folgenden noch beschäftigen soll, erkannt, aber den tröstlichen Gesamtton dieser Verse über-hört[1].

Abweichend von Heinze und anderen Kommentatoren[2] wollen wir, wie auch Bentley[3], in der Interpretation des V. 41 dem antiken Kommentator Porphyrio folgen; er erklärt: „Ordo est: Oceanus circum arva beata vagus. Fortunatas autem insulas significat; et bonum ʼΕπίθετον, *Oceanus vagus*". Zuerst sollen jene Gründe genannt werden, die für diese Auffassung nicht in Anspruch genommen werden können, das sind vor allem metrische Gründe. Man muß Nauck widersprechen, wenn er gerade hier argumentiert: „Horaz versteht ‚concludere versum' und wo er den Hexameter mit anderen Versen verbindet, da ist dieser immer ‚totus teres atque rotundus'." Denn in vergleichbaren Versverbindungen finden wir häufig ein ähnliches Enjambement, wie es sich bei einer Interpunktion nach „circumvagus" er-geben würde: Epod. 13, 7/8 — 9/10 — 13/14 — 15/16, Epod. 15, 7/8, Epod. 16, 11/12 — 13/14 — 17/18 — 19/20 usw., um nur einige Beispiele zu nennen. Auch die im Vers möglichen Caesuren bringen keine Entscheidung. Die Annahme einer buko-lischen Diärese könnte eine Interpunktion nach „circumvagus" nahelegen, die der Penthemimeres eine syntaktische Verbindung der Wortgruppe „circumvagus arva beata"[4].

---

[1] H. Janne, a.a.O., S. 123.

[2] Interpunktion nach „circumvagus" haben außer Heinze: Orelli, Ritter, Lehrs, Schütz, Wickham, Villeneuve und auch Klinger in seiner Ausgabe. Peerlkamp schlägt eine Inter-punktion nach „arva" vor: „nos manet Oceanus circumvagus arva; beata / petamus arva . . .", hält aber auch eine Interpunktion nach „circumvagus" für möglich. Campbell koniciert zu: Nos manet Oceanus circumvagus amne; beata . . .

[3] Außer Bentley tritt auch Nauck für eine Interpunktion nach Versschluß ein, allerdings erklärt er anders: „nos manet Oceanus circumvagus (et) arva beata."

[4] Dazu wäre noch einschränkend zu bemerken, daß in der klassischen Dichtung im Gegen-satz zu den altlateinischen Szenikern eine Überschneidung von Vers- und Satzgliederung häufig zu beobachten ist und zuweilen von den Dichtern bewußt angestrebt wird, um bestimmte Effekte zu erzielen, so z. B. von Horaz in den Sermonen, um trotz des Metrums den Eindruck „lässiger Prosa" zu erwecken. Vgl. dazu Crusius-Rubenbauer, Römische Metrik. S. 35 f.

Und nun zum Wort „circumvagus" selbst[5]: es läßt sich vor Horaz nicht belegen, nach Horaz nur an wenigen Stellen und zwar stets ohne Akkusativobjekt. Auch vergleichbare Adjektiva wie transilis, influus, praefluus oder profluus sind selten, am frühesten bei Plinius dem Älteren oder noch später zu belegen und dann nur adjektivisch ohne Objekt. Die Vergleichsbasis ist, wie man sieht, sehr klein und in der Zeit des Horaz überhaupt nicht gegeben. Am ehesten vergleichbar wäre eine Stelle aus Liv. XLIV 10, 6: „iamque ipsi urbi terribilis erat, cum dispositis omnis generis tormentis non *vagi* modo *circa muros* ... sed etiam, qui in navibus erant, saxis ... percutiebantur". Als völlig entsprechend kann jedoch nur eine Stelle, allerdings aus einem spätlateinischen Text, angesehen werden: Epist. Alex. p. 204, 17[6]: „... vel orbem terrarum *circumfluum* navigare oceanum".

Obwohl sich die Abhängigkeit des Akk. „arva beata" wegen der beschränkten Vergleichsbasis sprachlich nicht zur Gänze erweisen läßt, so sprechen doch andere Gründe für diese Auffassung:

Die Vorstellung, daß die Inseln der Seligen an den Gestaden des Oceanus liegen, ist alt, sie findet sich einerseits bei Homer Od. IV 567 ff.:

> ἀλλ᾽αἰεὶ Ζεφύροιο λιγὺ πνείοντας ἀήτας
> Ὠκεανὸς ἀνίησιν ἀναψύχειν ἀνθρώπους· —

andererseits bei Hesiod E. k. H. 170 f.:

> καὶ τοὶ μὲν ναίουσιν ἀκηδέα θυμὸν ἔχοντες
> ἐν μακάρων νήσοισι παρ᾽ Ὠκεανὸν βαθυδίνην,
> . . .

Noch näher der horazischen Vorstellung stehen die Worte Pindars aus der 2. Olymp. Ode V. 71 ff.:

> ... ἔνθα μακάρων
> νᾶσον ὠκεανίδες/ αὖραι περιπνέοισιν·

wenn auch anstelle des Oceanus die ὠκεανίδες αὖραι zu lesen sind.

Es ist durchaus denkbar, daß Horaz diese Schilderung vor Augen hatte. Außerdem spricht ein rein formaler Grund für die hier vertretene Auffassung. Merkwürdig wäre bei einer Interpunktion nach „circumvagus" die Wiederholung von „arva" in V. 42: arva beata / petamus arva ...; diese Wiederaufnahme wäre dann verständlich, wenn sich unmittelbar an sie ein Relativsatz oder die in V. 43 beginnende, mit „ubi" eingeleitete Periode fügte, doch es folgt als zweite Lokalangabe „divites et insulas". Die Vertreter einer Interpunktion nach „circumvagus" haben — wenn überhaupt — in verschiedener Weise versucht, dieses Problem zu lösen. Hermann Schütz, der wie Orelli, Ritter, Lehrs, Wickham, Plessis, Villeneuve nach „arva" in V. 41 ein Komma setzt, meint: „... wenn schon im ersten Glied ‚arva beata' gestanden hat, ist das folgende ‚arva' die matteste und müßigste Wieder-

---

[5] „circumvagus" ist seiner Bedeutung nach nicht identisch mit dem homerischen Epitheton ἀψόῤῥοος, wie Orelli meint. Es findet sich auch sonst im Lateinischen als Beiwort des „Oceanus" nicht.

[6] Epistula Alexandri Macedonis ad Aristotelem de itinere suo et de situ Indiae; Iulius Valerius, Seitenzahl nach der Ed. Kuebler (Teubner, Leipzig).

holung von der Welt. Anders wenn erst das bloße ‚arva‘ gesetzt, dann dasselbe
Wort emphatisch mit zugefügtem Epitheton wiederholt wird". Darüber hinaus er-
wägt Schütz auch eine Konjektur des ersten „arva" zu „ergo". Orelli betont die
anaphorische Stellung von „arva": „et ἀναφορὰ nostra ‚arva, beata petamus arva
(illa)‘ vere lyrica est." Doch ist bei dieser Interpunktion eine Anaphora im eigentlichen Sinn gar nicht gegeben[7]. Eine Interpunktion: „... arva, beata / petamus arva
divites et insulas" muß in der vorliegenden Periode willkürlich und gezwungen erscheinen. Denn die Trennung der beiden unmittelbar aufeinander folgenden, formal
übereingestimmten Wörter „arva beata" und die Verbindung von „beata" über die
Versgrenze und das Zeitwort hinaus mit dem entsprechenden Wort in V. 42 könnte
bei einer Lektüre des Gedichtes ohne jede Interpunktion oder Caesur schwerlich
von jemandem erkannt werden[8].

Die bei einer Interpunktion nach „arva beata" sich ergebende verbale Einleitung
des folgenden Aufforderungssatzes ist bei Horaz nicht ungewöhnlich; man vgl.
z. B. Epod. 16, 36 „eamus" an derselben Stelle des Verses. So betrachtet, scheint die
von Porphyrio gegebene Erklärung trotz der wenigen sicheren Argumente, die man
für sie vorbringen kann, gemessen an den Schwierigkeiten der anderen Version,
einfach und vertretbar.

Die V. 43—60, eingeschlossen die in ihrer Stellung problematischen V. 61/62,
beinhalten eine detaillierte Beschreibung der Seligen Inseln. An der Spitze stehen
sechs Verse, deren Thema man am ehesten mit „Landwirtschaft" überschreiben
könnte. Jeder Vers umschließt ein eigenes Motiv, das, durch Symbole charakterisiert,
jeweils einen Zweig der Landwirtschaft vertritt:

Vers 43	Cererem	(Ackerbau)
Vers 44	vinea	(Weinbau)
Vers 45	termes olivae	(Ölkulturen)
Vers 46	ficus	(Obstbau)
Vers 47	mella	(Bienenzucht)
Vers 48	lympha	(die für den Süden wichtige Bewässerung)

Die Schilderung ist überaus lebendig. Mit Ausnahme des Verses 43, in dem noch
die Erde (tellus), die letztlich auch Wein, Oliven und Obst hervorbringt, spendend
dargestellt ist, sind in allen übrigen Versen die einzelnen Symbole durchwegs selbst
produktiv oder handelnd dargestellt[9]: vinea floret, termes olivae germinat, mella
manant, lympha desilit; besonders deutlich wird der Charakter eigener Aktivität
in V. 46: pulla ficus ornat arborem. Diese Eigenart der Darstellung, durch die

---

[7] H. LAUSBERG, Handbuch der literarischen Rhetorik I, § 629.

[8] Wenn überhaupt, so kann man bei einer Interpunktion nach „circumvagus" nur Fr.
Klingner folgen, der in seiner Ausgabe folgendermaßen interpungiert: nos manet
Oceanus circumvagus; arva beata / petamus, arva divites et insulas. Bei ihm kann man
auch von einer anaphorischen Stellung der beiden Wörter sprechen. Aber merkwürdig
bleibt diese Wiederholung trotzdem.

[9] Irene TROXLER-KELLER, Die Dichterlandschaft des Horaz. Heidelberg 1964, S. 72 f. Sie
führt den Charakter der Aktivität in ähnlichen Schilderungen des Horaz auf ein ich-
bezogenes Verhältnis des Dichters zur Landschaft zurück.

Adjektiva „inarata" und „inputata" unterstrichen, bringt den Umstand selbständigen Wachsens und Gedeihens vorzüglich zum Ausdruck.

Es folgen vier Verse (49—52), die den Bereich der Fauna repräsentieren. Im ersten Verspaar erwähnt der Dichter die dem Menschen nützlichen Tiere, Ziegen und Rinder. Ihre bereitwillige Zuneigung zu den Menschen wird mit den Worten „grex amicus" ausgedrückt. Das nächste Verspaar nennt als Vertreter der für Vieh und Mensch schädlichen Tiere Bär und Schlangen. Beide stören den Frieden auf den Seligen Inseln nicht. Mit V. 52 schließt sich der Kreis des ersten Teiles der Beschreibung. Von der Erde ist der Dichter ausgegangen, „reddit ... Cererem *tellus*" (V. 43), zur Erde kehrt er zurück, „nec intumescit *alta* viperis *humus*" (V. 52).

Nach V. 52 ist deutlich eine Caesur spürbar. Der zweite Teil der Beschreibung beginnt mit einem Einschub des Dichters, durch den die unmittelbare Beziehung zwischen den Auswanderern und den Seligen Gefilden wieder in den Vordergrund geschoben wird: pluraque felices mirabimur.

Die Verse 53—55 schildern die klimatischen Verhältnisse auf den Inseln und deren Einflüsse auf die Landwirtschaft. Weder dauernde Regenfälle noch übergroße Hitze werden die Ernte gefährden. V. 56 bringt den ersten Hinweis auf die Götter; sie sind es, die alles im rechten Maß halten. Nun müssen, wie Hans Reynen in seiner eingehenden Untersuchung bewiesen hat, die V. 61/62 folgen. Sie stehen in der Überlieferung an einer den Zusammenhang störenden Stelle. Die Versuche, ihnen innerhalb des Gedichtes einen sinnvollen Platz einzuräumen, sind zahlreich[10]. Unter

---

[10] Genaue Angaben aller vertretenen Meinungen bei Hans REYNEN, Klima und Krankheiten auf den Seligen Inseln. Gymnas. Beiheft 4 „Interpretationen" S. 77—104: Streichung d. V. 61/62 siehe Anm. 29, Beibehaltung der Überlieferung: Anm. 4, Interpolation nach V. 48: Anm. 40, nach V. 50: Anm. 41 und nach V. 52 (übrigens jene Interpolation, die am meisten Anklang gefunden hat): Anm. 30. Auf zwei Arbeiten soll hier genauer eingegangen werden, weil sie die Verse an der überlieferten Stelle belassen und die Richtigkeit dieser Überlieferung zu erweisen suchen: Alfons KURFESS, Zu Horazens 16. Epode. Phil. Wochenschr. 1925, Sp. 604—606: Kurfess lehnt die Interpolation nach V. 52 wohl mit guten Gründen ab: a) Wiederholung von „grex" V. 50 in V. 62, b) Zerstörung des Aufbaues der V. 43—62, die in zwei Abschnitte zu je 5 Distichen zerfallen. Doch kommt Kurfess einer Interpolation der V. 61/62 nach V. 56 sehr nahe, wenn er folgendermaßen paraphrasiert: „Es wird keine Überschwemmungen und keine Dürre mehr geben (also auch keine Hungersnot, die so oft Italien bedrohte) und keine Seuchen, die das Vieh wegraffen." Trotzdem lehnt er diese Interpolation in der Folge ab und beläßt die V. 61/62 an der überlieferten Stelle: „Hinter V. 56 ist allerdings eine kleine Fuge, und scheinbar ganz abrupt fährt der Dichter fort mit der wirksamen Anaphora: ‚non huc — non huc', aber nur um den Hauptgedanken, der den Abschluß bringen soll, vorzubereiten: Niemand ist dorthin gekommen, hat nie diese Gefilde ‚berührt', also keine ‚contagia'. Dieses Wort bildet die Verbindungsbrücke und mit der Erwähnung des versengenden Hundsgestirnes kehrt er nochmals zu den Naturerscheinungen zurück, von denen er im zweiten Teil ausgegangen ist, so daß V. 53—62 eine kompakte Einheit darstellen"; soweit Kurfess; zum Thema der Krankheitsübertragung durch die Seefahrt siehe H. REYNEN, a.a.O., S. 80. Wie ich glaube, wäre eine Beschränkung der Funktion der in den V. 57—60 genannten, zum Großteil mythologischen Figuren auf eine Übertragung von Tierseuchen wohl mehr als seltsam. Noch ausführlicher hat sich Karl BARWICK, a.a.O., S. 42 ff., mit der Stellung dieser Verse befaßt. Ihm ist H. Reynen trotz aller Kritik weitgehend verpflichtet. Barwick stellt sich gegen eine Interpolation nach V. 52 und setzt sich im einzelnen mit Heinze auseinander. Die von ihm S. 42—47 gegen

allen Möglichkeiten scheint die von älteren Kommentatoren[11] schon früh vorgeschlagene und von H. Reynen mit zahlreichen Argumenten[12] gestützte Interpola-

Heinze angeführten Gründe sind überzeugend, berühren aber die Einfügung der V. 61/62
nach V. 56 in keiner Weise (a.a.O., S. 45 f.). Vielmehr drängt sich bei Barwicks Argu-
mentation gegen den dritten, m. E. für eine Ablehnung der besagten Verse an überlieferter Stelle einzigen gewichtigen Grund, daß sie nämlich dort den Zusammenhang stören,
geradezu die Interpolation nach V. 56 auf. Barwick faßt den zweiten Teil der Schilderung ab V. 53 unter dem Titel „Schädigende Einflüsse von außen" zusammen. Wie
Reynen weist er auf die thematische Ähnlichkeit der V. 43—52 und der vorliegenden
Verse hin, was ihre Gliederung in Flora und Fauna betrifft, nur daß er merkwürdiger-
weise unter dem Titel „Lebewesen" den die Menschen betreffenden Abschnitt V. 57—60
in die Parallele zu den V. 49—52 einbezieht. Wenn auch nicht so deutlich ausgesprochen
wie bei A. Kurfess, vertritt auch Barwick die Meinung, daß die Einschleppung von Tierseuchen aus den V. 57—60 zu erklären sei. Auch bemerkte er schon vor Reynen die durch
das Motiv „Klima" bestehende enge Bindung zwischen V. 62 und den V. 53—56. Trotzdem beläßt er die V. 61/62 an überlieferter Stelle. Den von H. Reynen, a.a.O., S. 78 ff.,
aufgezeigten Zusammenhang, bzw. das von H. DREXLER bemerkte antithetische Verhältnis der V. 57—60 und 63—66 lehnt Barwick mit dem Einwand ab, die V. 63—66, die,
wie er richtig sagt, eine Sonderstellung einnehmen, beziehen sich auf den gesamten
Abschnitt 43—62. — Bei allen Gründen, die man für die überlieferte Stellung der
V. 61/62 vorbringen kann, wird eine Schwierigkeit nicht behoben. Die genannten Verse
stören nämlich tatsächlich in geradezu gröblicher Weise den Ton des letzten Abschnittes
der Epode. Die V. 57—60 bewegen sich, wenn auch unter dem negativen Vorzeichen der
„impietas", im menschlichen und mit Ausnahme der Sidonier im mythischen Bereich, in
den Versen 63—66 erhebt sich der Ton ins Sakrale. — Es ist einfach unvorstellbar, daß
zwischen Argo — Medea — Odysseus (V. 57—60) und Juppiter (V. 63), die das Kleinvieh
(pecus) und die Herde (grex) bedrohenden Seuchen zu stehen kommen sollten. Dieser
Bruch im Ton und in der Bewegung der Verse von der mythologischen auf die sakrale
Ebene ist bei einer Beibehaltung der V. 61/62 an der überlieferten Stelle unvermeidlich.

[11] H. REYNEN, a.a.O., S. 87.

[12] H. REYNEN führt folgende Argumente für seine Ansicht an: Das gemeinsame Thema
„Klima" in den V. 53—56 und 61/62 (S. 87). Auch „contagia" V. 61 gehöre in diesen
Themenkreis, denn man hielt in der Antike auch eine Ansteckung durch die Luft für
möglich (siehe Arnob. adv. nat. 4, 37, Lucan 6, 88 ff., 7, 768 ff., 828 ff. und bes. Lucr.
6, 1090 ff.), direkt durch klimatische Verhältnisse verursachte Seuchen finden sich bei
Arist. probl. 1, 21. 862 a 4 f.
„Danach kann es nicht zweifelhaft sein, daß ‚nulla nocent pecori contagia' in einer
Behandlung des Klimas keinen Fremdkörper bilden, da die Seuchen nach antiker Theorie
mit bestimmten klimatischen Erscheinungen zusammenhängen." (S. 88 f.) — Andererseits
weise die Nennung des Κύων oder Canis, des Hundesternes, der hinter dem Ausdruck
„nullius astri" (V. 61 f.) steht, über die von ihm verursachte Hitze hinaus wieder auf das
Thema der klimatisch verursachten Krankheiten hin, ein Umstand, den bereits, wie
Reynen offenbar an dieser Stelle übersehen hat, K. BARWICK, a.a.O., S. 47, erwähnt.
Nach antiker Anschauung bringe dieser Stern fiebrige Erkrankungen mit sich: Hom. Il.
XXII, 26 ff., Verg. Aen. 10, 273 f., Arist. probl. 26, 12. 941 a 37 und 26, 32. 944 a 4,
weiters 1, 23. 862 a 17 f., wobei Aristoteles offenbar auf der medizinischen Theorie des
Alkmaion von Kroton fuße (S. 90). — Zu „aestus" als Synonym zu „febris" siehe S. 91,
zu „torreo" im Zusammenhang mit Fieber S. 91 f. — „Freilich meint man bei einer ober-
flächlichen Betrachtung des Textes, im ersten Kolon nur etwas von Seuchen zu lesen,
ohne daß damit zugleich etwas über die Herkunft dieser Seuchen festgestellt wäre,
während es im zweiten Kolon offenbar ist, daß die übermäßige Hitze der Hundstage
das Vieh normalerweise sehr quält, ja es „ausdörrt", aber was konkret gemeint ist,
scheint im Dunkel zu liegen ... Aber beide Kola gehören zusammen. Sie ergänzen sich

tion nach V. 56 die glücklichste zu sein. Allein ihr Inhalt, Einflüsse von Seuchen[13] und Klima auf die Herden, machen die V. 61/62 für diesen Zusammenhang geeignet. Die V. 53—55 schildern die Einflüsse des Wetters auf die Landwirtschaft, die V. 61/62 beziehen sich auf das Vieh. Wir haben eine ähnliche Anordnung im kleinen wie in den V. 43—52, also im ersten Abschnitt der Inselbeschreibung[14].

In den folgenden vier Versen 57—60 legt Horaz die Abgeschiedenheit der Seligen Inseln dar. Das Hauptgewicht scheint der Dichter bei dieser Betrachtung einzig auf die Schiffahrt zu legen. Wie man bei Horaz und bei anderen Dichtern finden kann[15], galt die Schiffahrt in der Antike als ein Charakteristikum des ehernen Zeitalters und ganz allgemein als „frevelhafte Überschreitung der den Menschen von den Göttern gesetzten Grenzen"[16]. Doch in so umfassendem Sinn können die Worte des Dichters hier nicht gemeint sein; denn wäre mit diesen Versen die Schiffahrt an sich als ein Frevel gekennzeichnet, könnten auch Horaz und seine „melior pars" die Seligen Inseln nie betreten[17]. Vielmehr sind die hier genannten Seefahrer mit besonderen Freveln behaftet. Schon Reynen[18] weist auf das „impietas-Motiv" in den genannten Versen hin: „Der Gedanke der ‚impietas' wird durch die Auswahl ihrer konkreten Vertreter noch unterstrichen. Die Argo war nach der Auffassung der einen das erste Schiff überhaupt, nach anderen wenigstens das erste Kriegsschiff[19] ... Impietas haftet an ihr nicht nur, weil der Mensch mit ihr frevelhaft die ihm gezogenen Grenzen überschritt, sondern auch wegen des Zieles und Erfolges der Fahrt. Diese diente der Habgier, und neben dem Goldenen Vlies brachte sie die ‚inpudica Colchis' heim." Wenn diese Verse in ihrer Gesamtheit das Motiv der „impietas"

gegenseitig. Man muß ihre Aussagen mischen, um das Ganze der jeweils hinter ihnen stehenden Vorstellungen zu haben. Bei den Seuchen des ersten Kolons muß man den allgemeinen Begriff „Klima" aus dem zweiten Kolon mitdenken, und umgekehrt muß man beim zweiten Kolon zu der Ausdörrung des Viehs durch die Hitze der Hundstage noch den allgemeinen Begriff „Krankheit" aus dem ersten Kolon hinzunehmen. Das ist sehr kunstvoll, hat indessen das Verständnis der beiden Verse erschwert" (S. 92). Vergleich dieser Interpretation mit Platon Symp. 188 A/B (S. 92 f.), zu „temperante" siehe S. 93 f.— Zum Abschluß bringt Reynen in einem eigenen Abschnitt die traditionelle Stellung des „Klimas" in Beschreibungen der Seligen Inseln, des Goldenen Zeitalters und ähnlicher Utopien. S. 96—104.

[13] H. Reynen, a.a.O., S. 87.   [14] H. Reynen, a.a.O., S. 87.
[15] H. Reynen, a.a.O., S. 78, Anm. 6, 7 und 8; vgl. bes. Arat 110 f.
... χαλεπὴ δ'ἀπέκειτο θάλασσα
καὶ βίον οὔπω νῆες ἀπόπροθεν ἠγίνεσκον,
Hes. E. k. H. 236 f. von dem frommen Volk πόλις τῶν δικαίων
˙... οὐδ'ἐπὶ νηῶν/ νίσονται
dazu noch von den Frevlern: V. 245 ff. und Lucrez 5, 1006 „improba navigii ratio tum caeca iacebat" und auch 1001 (aus dem Leben des ersten Menschen).
[16] H. Reynen, a.a.O., S. 78.
[17] H. Janne, a.a.O., S. 124, „Mais ses terres sont pratiquement inaccessibles: ni les Argonautes, ni les Phéniciens ni Ulysse ne les ont atteintes. Jupiter les a séparées du monde des hommes!" H. Janne trifft keine Unterscheidung zwichen den „pii" und den „impii", denen allein der Zugang zu den Seligen Inseln versperrt ist.
[18] H. Reynen. a.a.O., S. 78 und Pseudacron, Schol. I., S. 447.
[19] Möglicherweise schwebte Horaz gerade diese Vorstellung vor Augen, dann stünde hinter diesem Vers ein für Horaz bedeutungsvolles Motiv, das Motiv des Krieges. Siehe auch ad V. 60, S. 52.

4*

wiederaufnehmen, so geschieht dies im besonderen durch das ungewöhnliche Epitheton der Medea. Denn „inpudica" bedeutet hier mehr als nur „schamlos". Medea
tötete auf ihrer Flucht mit Iason ihren Bruder Apsyrtos und warf den Leichnam
zerstückelt ins Meer. Es ist in unserem Zusammenhang bemerkenswert, daß es sich
bei diesem mythologischen Frevel auch um Brudermord, freilich in engerem Sinn,
handelt. Apollonios Rhodios IV 522 ff. weiß uns zu berichten, daß die Frevler auf
ihrer Flucht von plötzlichen Stürmen wieder nach dem Norden getrieben wurden,
und daß die Argo selbst ihnen weissagte, sie müßten vor ihrer Weiterfahrt bei Kirke
Entsühnung für diesen Mord suchen[20]. Die in V. 59 genannten Sidonier, Bewohner
der reichen, phönizischen Stadt Sidon, galten als besonders unternehmungsfreudige
Vertreter ihres Volkes. Mit ihrem Namen werden in der Bibel wie in den homerischen Gesängen die Phoiniker schlechthin bezeichnet[21]. Diese aber waren nicht nur
wegen ihrer verwegenen Fahrten berühmt, sondern auch als Seeräuber und listen-
reiche Betrüger berüchtigt[22]. Von besonderem Interesse ist jedoch V. 60. Reynen
weist im Zusammenhang mit diesem Vers auf den Frevel der Begleiter des Odysseus
hin, die auf der Insel Trinakria die Rinder des Helios schlachteten, und bemerkt
wohl richtig, daß Odysseus selbst, für den Horaz übrigens eine gewisse Sympathie
empfunden haben dürfte[23], vom Dichter absichtlich durch die Formulierung „laboriosa cohors Ulixei" von seinen Begleitern abgehoben wird[24]. Doch ein zweites muß
bei dieser Formulierung auffallen: einerseits das Substantiv „cohors", andererseits
sein Epitheton „laboriosa". In der lateinischen Prosa kommt das Substantiv
„cohors" nur als technischer Ausdruck für eine Abteilung des römischen Fußvolkes
vor, in der Dichtung auch in allgemeinerer Bedeutung, aber immer noch mehr oder
weniger mit Anspielung auf die technische Bedeutung des Wortes[25]. Das aber würde
darauf hinweisen, daß in diesen Versen, möglicherweise bereits mit der Erwähnung
der Argo in ihrer Funktion als erstes Kriegsschiff und deutlicher in dem militäri-
schen Terminus „cohors", neben dem „impietas-Motiv" und mit ihm verbunden das
Kriegs-Motiv anklingt, das unter dem besonderen Aspekt des Bürgerkrieges den
ersten Teil der Epode beherrscht. Das Epitheton „laboriosa"[26] erinnert an V. 16
„malis carere laboribus" und bedeutet, ähnlich wie „labor" dort, mit Mühsal und
„impia facta" beladen. Doch läßt sich diese Bedeutung nur aus dem Zusammenhang
erschließen, nicht aber an Hand von Belegstellen beweisen.

---

[20] RE Argonautai Sp. 770.   [21] RE Sidon Sp. 2217.

[22] H. Reynen, a.a.O., S. 79, vgl. auch Orac. Sibyl. III bes. 496 ff.

[23] Horaz, Epist. I, 2, 17 ff.: rursus, quid virtus et quid sapientia possit, / utile proposuit nobis
exemplar Ulixen / qui domitor Troiae multorum providus urbes / et mores hominum
inspexit latumque per aequor, / dum sibi, dum sociis reditum parat, aspera multa / per-
tulit, adversis rerum inmersabilis undis. / Sirenum voces et Circae pocula nosti; / quae
si cum sociis stultus cupidusque bibisset, / sub domina meretrice fuisset turpis et excors /
vixisset canis inmundus vel amica luto sus.

[24] H. Reynen, a.a.O., S. 79.

[25] R. Klotz, HWB. d. lat. Sprache I, S. 935. Diese Angabe findet sich im ThLL. bestätigt. Bei Dichtern ist „cohors" vor Horaz selten: Varro Men. 55, Cat. 63, 25 u. Verg.
Aen. X, 328.

[26] Siehe auch Epod. 17, 15: saetosa duris exuere pellibus / laboriosi remiges Ulixei / volente
Circa membra.

Unsere Interpretation wird jedoch durch eine thematisch verwandte Stelle bei Horaz gestützt: epist. I 6, 63 remigium *vitiosum* Ithacensis Ulixei. Das Epitheton „vitiosus" zeigt deutlicher als „laboriosus", wie Horaz die Begleiter des Odysseus einschätzte[27]. Auch in epist. I 6 ist mit großer Wahrscheinlichkeit, wie die Kommentare anführen, die frevelhafte Schlachtung der Rinder des Helios gemeint, auf die H. Reynen im Zusammenhang mit der 16. Epode hinweist[28].

Der Spannungsbogen des „impietas-Motives", den wir von „inpia" (V. 9) bis „inominata" (V. 38) verfolgt haben, wird hier durch das Epitheton der Medea „inpudica" noch einmal mit aller Deutlichkeit faßbar. Stellt man die drei genannten Adjektiva, „inpia" — „inominata" — „inpudica", in eine Reihe, so muten sie wie sprachliche und phonetische Marksteine dieses Motives in der Epode an.

Zusammenfassend könnte man zu den V. 57—60 sagen, daß es dem Dichter an dieser Stelle nicht um die Brandmarkung der Schiffahrt im allgemeinen geht; sie ist Symbol, wie auch die „inpudica Colchis" oder der kriegerische Klang im Ausdruck „cohors", Symbol der „impietas", des Hauptmotives dieser Verse. Für sie gibt es keinen Weg auf die Seligen Inseln. Das Motiv ist, wie sich bereits V. 37/38 ankündigte, endgültig negiert. In V. 60 findet die exemplarische Beschreibung der Inseln ihr Ende. Der ganze Abschnitt von V. 43—60 zerfällt, wie aus der Interpretation hervorgeht, in zwei Abschnitte, V. 43—52 und V. 53—56 + 61/62, 57—60. Jeder dieser Abschnitte zerfällt wieder in zwei Gruppen von 6 + 4 Versen[29].

---

[27] Léon HERRMANN, Le date de la XVIe épode d'Horace. REA 39/1937, S. 332.

[28] Zum Circe-Erlebnis in Epod. 17 vgl. Epist. I, 2, 18 ff.

[29] Ich kann mich nicht der Auffassung H. REYNENS, a.a.O., S. 95 f., anschließen, der zu folgenden Gliederungen gelangt: V. 43—56, 61 f. zerfallen in 3 Dist. Flora, 2 D. Fauna, 2 D. Flora, 1 D. Fauna, betrachtet man die V. 53—56, 61 f. als Einheit, ergibt sich die Ordnung 3D:2D:3D; die Verse 57—66 faßt Reynen als zusammengehörigen Abschnitt auf, in 2D:2D gegliedert. Nach negativen und positiven Distichen geordnet, ergibt sich für die V. 43—66 folgende Einteilung: 4D:6D:2D. Einerseits kann ich bei dieser Verschiedenheit der Einteilungsprinzipien nicht die von Reynen gerühmte „ausgeklügelte Komposition" erkennen, andererseits sind m. E. die letzten vier Verse 63—66 deutlich von der detaillierten Gesamtschilderung abgesetzt (so übrigens auch K. BARWICK, a.a.O., S. 43). Man könnte sie unter Übergehung der V. 43—60 unmittelbar an V. 42 anschließen (siehe S. 58 f.). Die V. 43—60 zerfallen, wie oben bereits dargelegt wurde, in zwei Gruppen zu je 10 Versen. K. BARWICK, a.a.O., S. 43, kommt zu einer ganz ähnlichen Gliederung, nur daß sich bei ihm, infolge der Übernahme der V. 61/62 an der überlieferten Stelle, eine Unterteilung der Gruppen in 6 + 4 und 4 + 6 Versen ergibt. Die erste Gruppe könnte man unter dem Titel „Verhältnisse auf den Seligen Inseln" zusammenfassen, die zweite Gruppe V. 53—56+61/62 u. 57—60 unter dem Titel „Fehlen negativer Einflüsse auf diese Verhältnisse" (siehe K. BARWICK, a.a.O., S. 46), und zwar negativer klimatischer und menschlicher Einflüsse. Daneben besteht eine Verbindung zwischen den beiden Gruppen durch die Wiederaufnahme der Einteilung in Flora und Fauna in den V. 53—56, 61 f. Doch sind die einzelnen Abschnitte bei Horaz immer motivisch oder sprachlich miteinander verknüpft (siehe S. 58). Daraus erklärt sich auch die Beziehung zwischen den Versen 57—60 und 63—66, die Reynen immer wieder betont, sie besteht in der Antithese des impietas- und des pietas-Motives. (Ein antithetisches Verhältnis hat auch H. DREXLER, a.a.O., S. 140, hervorgehoben). Die Übergänge bei Horaz sind fließend, die Abschnitte niemals hart voneinander abgesetzt. Daher ist eine kategorische Aufteilung eines Gedichtes in einzelne Versgruppen fast unmöglich und würde zu einer Zerstörung der Bewegung innerhalb des Gedichtes führen.

Mit den Versen 63—66 erhebt sich die dichterische Aussage über das exemplarisch Beschreibende hinaus ins Allgemeingültige, der Ton wird feierlich, man könnte fast sagen sakral. An der Spitze des V. 63 steht als höchste Gottheit Juppiter[30]. Er hat die „arva beata" vor dem Wechsel der Zeitalter[31] bewahrt und einer „pia gens" vorbehalten. Mit dieser „pia gens" werden V. 66 jene identifiziert[32], die sich unter Führung des Dichters („vate me")[33] hierher geflüchtet haben[34]. Sie haben um der „pietas" willen das Opfer einer keineswegs willkürlichen, sondern schicksalhaft bedingten Preisgabe Roms gebracht und sind demzufolge im wahrsten Sinn „pii". Die Epode gipfelt im Motiv der „pietas". Mit V. 66 „piis" endet der zweite Spannungsbogen, den wir in seinen wichtigsten Punkten „melior pars" V. 15 und V. 37 hervorgehoben und bis zu diesem Vers verfolgt haben, in dem die „melior pars" mit den „pii" gleichgesetzt wird.

Nach den acht Einleitungsversen beginnt der erste Abschnitt und zugleich der erste Spannungsbogen der Epode in V. 9 mit dem Adjektiv „inpia", der Abschlußvers des dritten und letzten Abschnittes der Epode und zugleich Ausklang und Vollendung des zweiten Spannungsbogens beginnt mit dem Adjektiv „piis". Zwischen diesen polaren Begriffen bewegt sich das ganze Gedicht und aus dem Spannungsverhältnis der von ihnen bezeichneten Lebensbereiche erwächst die große Bedeutung der 16. Epode. Wir werden sie noch ausführlich zu behandeln haben.

---

[30] Zu Juppiter vergleiche auch die beiden frühen Oden C. I, 2 und C. I, 3, 40. Siehe auch C. II 17, 22: te Iovis *inpio* / tutela Saturno refulgens / eripuit ...
[31] Heinze ad V. 63—65: wie Verg. georg. I 121f. unterscheidet Horaz, indem er das silberne Zeitalter übergeht, nur eine glückliche, alte und eine entartete, neue Epoche.
[32] H. DREXLER, a.a.O., S. 128, hat die Motivbewegung innerhalb der Epode übersehen und sieht daher in der „pia gens" wie auch vorher in der Einführung der „melior pars" ein sekundäres Element des Gedichtes, das, erst in den letzten Versen auftretend, kein rechtes Leben gewinnen könne. Abschließend meint Drexler, der Glaube an einen intakten Kern der Civitas sei bei Horaz unwahrscheinlich, eine Behauptung, die sich jedenfalls nicht aus der 16. Epode ableiten läßt.
[33] Zur besonderen Bedeutung dieser Worte siehe S. 89f.
[34] Das Wort „fuga" wurde in diesem Zusammenhang wiederholt kritisiert. Walter WIMMEL, Das Verhältnis der 4. Ecloge zur 16. Epode. H 81/1953, S. 336, bemerkt dagegen, daß das Wort „fuga", das auch ehrenvolle Verbannung bedeuten kann, nicht einen moralisch abwertenden Klang wie unsere „Flucht" gehabt habe.

2. Der kunstvolle Aufbau

Bei einer Betrachtung der 16. Epode ergibt sich zunächst, wie K. Witte bereits festgestellt hat, eine einfache, thematisch bestimmte Dreiteilung des Gedichtes[1]. Die V. 1—14 umschließen das Thema Bürgerkriege, in den V. 15—40 legt der Dichter seinen Auswanderungsplan dar, in den V. 41—66 folgt schließlich die Schilderung der Seligen Inseln. Es ergibt sich somit ein Aufbau von 14 : 26 : 26 Versen. Neben dieser schematischen, blockhaften und, vom Motiv her gesehen, vordergründigen Gliederung läßt sich jedoch eine ungleich kompliziertere, spannungsreiche und bewegte innere Gestaltung der Epode aus den im Laufe der Interpretation gewonnenen Wortbeziehungen ablesen, die für das Verständnis des Gedichtes von großer Bedeutung ist. Wie man der vorangehenden Interpretation entnehmen kann, durchziehen zwei Elemente das Gedicht, das Element der „inpia devoti sanguinis aetas", die Rom mit eigener Hand zerstört, und jenes der „melior pars civitatis", der die Flucht zu den Seligen Inseln vorbehalten bleibt. Geht man den Stellen, in denen diese Elemente wörtlich anklingen, nach, so zeichnen sich zwei weite, einander bis ins einzelne entsprechende Spannungsbögen ab, an deren Kreuzungspunkt sich beide Welten, die der „inpii" und die der „pii", scheiden. Aus den Spannungsbögen ergibt sich auch die in der Interpretation durchgeführte Gliederung des Gedichtes.

Wir wollen die beiden Spannungsbögen zuerst gesondert betrachten. Der negative, im folgenden mit A bezeichnet, nimmt seinen Ausgang von V. 9:

> **inpia** perdemus *devoti sanguinis aetas*
> wir ein Geschlecht verfluchten Blutes werden **ruchlos** ...

Die nächste an dieses Motiv anklingende Stelle ist V. 36: eamus omnis ... civitas. Zum letzten Mal wird hier die gesamte Bürgerschaft zur Auswanderung aufgefordert. „Omnis civitas" schließt, wie die Interpretation gezeigt hat, Negatives und Positives in gleicher Weise ein.

In V. 37/38 vollzieht sich nun die Trennung. Hier sind die beiden Spannungsbögen so eng miteinander verknüpft, daß es schwer fiele, sie sprachlich voneinander zu trennen:

> aut pars *indocili* melior *grege; mollis et exspes*
> **inominata** perpremat *cubilia.*

Noch einmal klingt das Motiv sprachlich deutlich faßbar in V. 58 an:

> neque **inpudica** *Colchis* intulit pedem

Durch die Negation in seiner Bedeutung aufgehoben, ist es nur mehr ein wörtlicher Anklang. Der „impudicitia" ist der Zutritt zu den Inseln der Seligen verwehrt. Somit spannt sich der Bogen A, im zweiten Teil durch Negationen bereits aufgehoben, doch sprachlich faßbar von V. 9—58 über 52 Verse.

[1] K. WITTE, Horaz und Vergil, Kritik oder Abbau? Erlangen 1922, S. 5—8 (im folgenden „Horaz und Vergil" zitiert).

Der zweite Spannungsbogen B beginnt mit V. 15:

> forte quid expediat communiter aut **melior pars**

Zum ersten Mal wird der Gesamtheit der Bürger eine „melior pars" gegenübergestellt, ohne noch von ihr getrennt zu werden.

Die zweite Stelle finden wir im ersten der schon einmal zitierten V. 37/38:

> aut **pars** indocili **melior** grege;

Hier wird die „melior pars" aus der „omnis civitas" herausgehoben; die „indocilis grex" soll weiterhin in träger Hoffnungslosigkeit die „inominata cubilia" drücken.

> V. 39   vos, *quibus est virtus,* ...
>
>   ... volate litora

spricht nur mehr von dieser „melior pars"; ihr allein öffnet sich der Weg zu den Seligen Inseln. In V. 63 erklärt Horaz:

> Iuppiter illa *piae* secrevit litora *genti*

Dieser „pia gens" werden in V. 66 jene „pii", unter denen wir sicher die „melior pars civitatis" zu verstehen haben, gleichgesetzt. Für sie ist die Flucht vor dem ehernen Zeitalter unter der Führung des Dichters möglich:

> ... dehinc ferro duravit saecula, quorum
>
>   **piis** secunda vate me datur fuga.

Dieser Spannungsbogen B, der mit V. 15 beginnt und mit V. 66 endet, umfaßt somit ebenfalls 52 Verse.

Die Mitte von Bogen A liegt nach V. 34; an dieser Stelle endet der Schwur, der den Römern für immer eine Rückkehr unmöglich machen soll. Bogen B erreicht seine Mitte nach V. 40, also unmittelbar vor der Nennung der Seligen Inseln. Zwischen diesen Scheitelpunkten liegen 6 Verse, in deren Zentrum sich die Bogen kreuzen. Dort stehen an entscheidender Stelle die V. 37/38, in denen der Dichter die schon besprochenen beiden Sphären trennt. Wie genau sich die Spannungsbögen entsprechen, mag die beigegebene Skizze[2] mit den dazu angeführten Zahlenverhältnissen veranschaulichen. Aus diesem Schema läßt sich auch eine Gliederung des gesamten Gedichtes ablesen:

1.) Die V. 1—8 (bis zu Beginn von Bogen A) könnte man als eine Einleitung bezeichnen; sie gliedern sich in die V. 1/2, die in wenigen Worten die verzweifelte Zeitlage charakterisieren, aus der heraus diese Epode zu verstehen ist:

> Altera iam teritur bellis civilibus aetas,
>
>   suis et ipsa Roma viribus ruit

und in die V. 3—8, in denen jene Feinde Roms genannt werden, die zwar Rom selbst bedrohten, es jedoch nicht zu zerstören vermochten.

Nach diesem Relativsatz gehörte eigentlich im Gegensatz zu den meisten Ausgaben kein Komma, sondern eine stärkere Interpunktion.

2.) Der erste Abschnitt, durch „*perdemus*" mit dem Vorhergehenden (V. 3: quam neque finitimi valuerunt *perdere* Marsi) verbunden, reicht von V. 9, dem Beginn von Bogen A, bis zu dessen Mitte V. 34.

---

[2] Siehe S. 112.

Er gliedert sich in die V. 9–14: Die Römer selbst werden ihre Stadt zerstören; dann werden wilde Tiere und Barbaren von ihr Besitz ergreifen und selbst das Grab des Gründers nicht verschonen. Es folgen die problematischen V. 15/16, in denen sich Horaz an eine Versammlung römischer Bürger wendet mit der Frage, ob sie der „mali labores" endlich müde seien. An dieser Stelle, zu Beginn des Spannungsbogens B, versetzt der Dichter seine Leser plötzlich in eine vorher noch nicht angedeutete Situation. In den V. 17–22 legt er der Versammlung am Beispiel der Phokäer seinen Auswanderungsplan vor, um in den V. 23/24 nach ihrem Einverständnis zu fragen. Die ganze Stelle von V. 15–24 umfaßt 10 Verse, denen von V. 25–34 in weiteren 10 Versen der von Horaz geforderte Schwur folgt, durch den jeder Versuch einer Rückkehr zum „nefas" wird. Der gesamte Abschnitt von V. 9–34 umfaßt 26 Verse.

3.) Der zweite Abschnitt, V. 35–40, reicht von der Mitte des Bogens A bis zur Mitte des Bogens B. In V. 35 wird mit dem Partizip „exsecrata", wie zwischen Einleitung und 1. Abschnitt durch „perdemus", eine enge Verbindung zum vorausgehenden Abschnitt hergestellt (siehe V. 18). Im ersten Verspaar 35/36 begegnet als beherrschendes Element die „omnis civitas", in den V. 37/38 erfolgt, wie bereits gezeigt wurde, die Trennung der „melior pars" von dieser Gesamtheit der Bürger. In den V. 39/40 werden nur mehr jene angesprochen, „quibus est virtus"[3]. Der ganze Abschnitt umfaßt sechs Verse.

4.) Der dritte und letzte Abschnitt des Gedichtes beginnt mit V. 41, unmittelbar nach der Mitte des Bogens B, und reicht bis V. 66, dem Ende dieses Spannungsbogens. Er gliedert sich in die V. 41/42, in denen die „arva beata" als Ziel der Auswanderung genannt werden. Auch hier besteht eine Verbindung zum Vorhergehenden. In V. 40 fordert Horaz seine Begleiter auf:

Etrusca praeter et volate litora;

dieses Aufbruchsmotiv wird in „petamus" V. 42 aufgenommen und weitergeführt; durch den Übergang von „vos" zu „nos" tritt der Dichter unter die nunmehr zur Auswanderung Bereiten. Die Verse 43 bis 56 zusammen mit den V. 61/62 und weiter bis 60 bringen eine ausführliche Beschreibung der Seligen Inseln, die sich wieder genau gliedern läßt: die V. 43–48 beziehen sich auf die Landwirtschaft, die V. 49–52 auf die zahme und schadenbringende Tierwelt. Beide Gruppen zusammen ergeben 10 Verse. Es folgt in den V. 53–56 + 61/62 eine Schilderung der klimatischen Verhältnisse und deren Einflüsse auf Landwirtschaft und Viehzucht. Die V. 57–60 haben die Abgeschiedenheit der Inseln von Schiffahrt, Frevel und Krieg zum Inhalt. Beide Gruppen füllen ebenfalls 10 Verse. Es folgt in 4 Versen, V. 63–66, der feierliche Schluß der Epode: unter Führung des Dichters werden die Frommen auf den Seligen Inseln nach dem Willen Iuppiters eine neue Heimat finden. Dieser letzte Abschnitt umfaßt 26 Verse[4].

[3] Zur Interpretation von „virtus" siehe S. 43 ff.
[4] Zu demselben Ergebnis kam nachträglich, was die Einteilung dieses letzten Abschnittes betrifft, auch Robert W. Carrubba, Structural Symmetry in Horace, Epodes 16, 41–66. RhM. 110/1967, S. 201 ff.

Das folgende Schema soll den Aufbau noch einmal in aller Kürze und Klarheit darlegen:

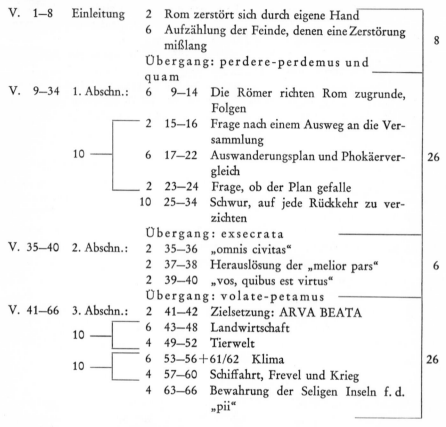

V. 1—8   Einleitung   2 Rom zerstört sich durch eigene Hand
                          6 Aufzählung der Feinde, denen eine Zerstörung
                             mißlang   8
                          Übergang: perdere-perdemus und
                          quam
V. 9—34   1. Abschn.:   6 9—14   Die Römer richten Rom zugrunde,
                                    Folgen
                   2 15—16 Frage nach einem Ausweg an die Ver-
                                    sammlung
           10 ─   6 17—22 Auswanderungsplan und Phokäerver-   26
                                    gleich
                   2 23—24 Frage, ob der Plan gefalle
                 10 25—34 Schwur, auf jede Rückkehr zu ver-
                                    zichten
                          Übergang: exsecrata
V. 35—40   2. Abschn.:   2 35—36 „omnis civitas"
                          2 37—38 Herauslösung der „melior pars"   6
                          2 39—40 „vos, quibus est virtus"
                          Übergang: volate-petamus
V. 41—66   3. Abschn.:   2 41—42 Zielsetzung: ARVA BEATA
           10 ─   6 43—48 Landwirtschaft
                   4 49—52 Tierwelt
           10 ─   6 53—56+61/62 Klima   26
                   4 57—60 Schiffahrt, Frevel und Krieg
                          4 63—66 Bewahrung der Seligen Inseln f. d.
                                    „pii"

Die Abschnitte 1 und 3 entsprechen sich nicht nur in der Verszahl, sondern auch im Aufbau. Jeweils lassen sich zwei Gruppen zu 10 Versen zusammenfassen: einerseits V. 15—24 und 25—34, andererseits V. 43—52 und V. 53—55+61/62—60.

Den Versen 9—14 im ersten Abschnitt entsprechen die Verse 41/42 und 63—66 des dritten; hier sind sie durch die Beschreibung der Seligen Inseln voneinander getrennt, doch könnte man sie unter Übergehung der V. 43—60 folgendermaßen zusammenlesen:

    41   nos manet Oceanus circumvagus: arva beata
    42   petamus, arva divites et insulas;
    63   Iuppiter illa piae secrevit litora genti
    64   ut inquinavit aere tempus aureum
    65   aere, dehinc ferro duravit saecula, quorum
    66   piis secunda vate me datur fuga.

Stellt man diesen Versen jene V. 9—14 des ersten Abschnittes gegenüber, dann haben wir die beiden Welten des Gedichtes vor uns:

In den V. 9—14: die durch einen Fluch zur Selbstvernichtung getriebenen Römer, die sich und ihre Stadt dem Untergang weihen. Hier, in den V. 41—42 und 63 bis 66 die Inseln der Seligen, die Juppiter der „pia gens" vorbehalten hat, d. h. jener „melior pars civitatis", die eine besondere Art von „virtus" ihr eigen nennt, nämlich die von Lastern gezeichnete Heimat, trotzdem für den Römer das höchste Gut, zu verlassen, um nicht immer wieder neue Blutschuld auf sich zu laden. Unwillkürlich denkt man, wie schon in der Interpretation ausgeführt wurde, an das Ende der 7. Epode. Epode 16 versucht einen Ausweg aus dem unaufhaltsamen Verderben zu zeigen. Die Symbolhaftigkeit dieses Ausweges soll im folgenden ausführlich behandelt werden.

3. Die Datierung

Die Datierung der 16. Epode ist wie die der 7. sehr problematisch, und man wird wohl mit Ed. Fraenkel sagen müssen, wenn wir auch gerne zu einem genaueren Ergebnis kommen wollten, wird man auch durch scharfe Überlegung kaum vollständige Sicherheit erreichen können[1]. Ein Beweis für diese Ansicht sind die mannigfachen Meinungen, die untereinander erheblich divergieren.

Häufig wird die Epode in die Zeit des Perusinischen Krieges datiert, also in das Jahr 41/40[2] und als eines der ältesten horazischen Gedichte überhaupt angesehen. Diese frühe Datierung ist einerseits unter historischen und biographischen, andererseits unter stilistischen Gesichtspunkten zustande gekommen. Als historische Gründe werden ganz allgemein die Verhältnisse in Italien während des Perusinischen Krieges angeführt und im besonderen, mit Bezug auf die V. 11/12 der Epode, die im Osten drohenden Parther genannt[3], die im Jahre 40 unter Führung des vormals römischen Unterfeldherrn Q. Labienus in Syrien und Kleinasien eingefallen waren. Den bitteren Ton der Epode führt man auf die persönliche Situation des Dichters zurück[4], der als Anhänger der Republikaner seinen Besitz verloren hatte und seine Zukunftshoffnungen zerstört sah[5]. Darüber hinaus werden immer wieder stilistische Mängel des Gedichtes angeführt[6] und als Unfertigkeit des Dichters ausgelegt, die eine frühe Datierung des Gedichtes empfehlen.

Franz Ritter verlegt die Entstehungszeit der 7., 13. und 16. Epode noch in die Zeit des Griechenlandaufenthaltes des Horaz, also in die Phase vor der Schlacht von Philippi, und meint: „verum cum illi tres epodi iam anno 712 (42 v. Chr.) et in Graecia facti sint, id quod argumenta et indoles satis ostendunt, hos primo Graeca lingua compositos, mox Latine ab auctore conversos et passim mutatos esse colligere licebit." Diese Auffassung ist im höchsten Grade unwahrscheinlich und

---

[1] Ed. FRAENKEL, a.a.O., S. 53. — J. CARCOPINO, Virgile et le Mystère de la 4e Eclogue. Paris 1930, S. 109.

[2] Die Komm.: Orelli, Schütz, Nauck, Heinze, Villeneuve, Plessis. — S. SUDHAUS, a.a.O., S. 50 f. — F. SKUTSCH, a.a.O., S. 363. — J. KROLL, a.a.O., S. 631 f. — Peter CORSSEN, Die 4. Ekloge Virgils. Phil. 35/1926, S. 68. — L. LEVI, a.a.O., S. 170 und 174. — H. DREXLER, a.a.O., S. 137. — R. LATSCH, a.a.O., S. 111. — Alfred NOYES, Portrait of Horace, London 1947, S. 63. — K. HÖNN, a.a.O., S. 59. — Ernst BICKEL, Politische Sibylleneklogen. RhM. 97/1954, S. 222. — St. COMMAGER, a.a.O., S. 161, Anm. 1. — M. GIGANTE, a.a.O., S. 228.

[3] Vgl. Gaetano CURCIO, Le liriche di Q. Orazio Flacco. Cantane 1930, S. 34. — R. LATSCH, a.a.O., S. 111. — H. JANNE, a.a.O., S. 124. — Heinze in der Einleitung zur 16. Epode.

[4] Zur Biographie des Horaz vgl. die Darstellungen bei Ed. FRAENKEL, a.a.O., S. 1—23 und H. HOMMEL, a.a.O., S. 14, passim.

[5] L. LEVI, a.a.O., S. 170: „Nell'epodo di cui trattiamo si riflette tutta l'amarezza di chi vede il suo avvenire distrutto, la sua vita da rifare ... Il nuovo inaspettato tumulto civile dell'anno 41, la guerra perugina, non è che l'occasione, non vorrei dire il pretesto del carme con cui il poeta vuole sfogare il suo animo angosciato e il suo pessimismo".

[6] L. LEVI, a.a.O., S. 170. — B. KIRN, a.a.O., S. 45. — H. DREXLER, a.a.O., S. 141. — R. LATSCH, a.a.O., S. 111. — H. KEMPTER, a.a.O., S. 97 f.

weder durch historische noch durch biographische oder andere Gründe zu stützen. Sie hat wohl mit Recht keine Nachfolger gefunden.

Einige hingegen nehmen an, daß die Epoden 7 und 16 erst in der Zeit von Actium 32/31 v. Chr. anzusetzen seien[7]. Diese späte Datierung läßt sich jedoch in keiner Weise mit dem Ton der beiden Gedichte vereinbaren, eine Diskrepanz, die bei einem Vergleich mit den Epoden 1 und 9 deutlich ins Auge fällt. Horaz war nach einer mehrjährigen Beziehung zu Maecenas bereits weitgehend in die Atmosphäre dieses Kreises hineingewachsen und sah die politische Situation mit anderen Augen als in den Jahren 42 bis etwa 37 v. Chr. Durch die Schenkung des Sabinergutes war auch seine persönliche Lage konsolidierter und als Freund der bedeutendsten Männer dieser Zeit seine gesellschaftliche Stellung eine durchaus gehobene. Auch in Hinblick auf die zwar kritischen, aber keineswegs chaotischen politischen Verhältnisse der Jahre 32/31 v. Chr. wäre der verzweifelte Ton dieser Gedichte kaum zu rechtfertigen[8].

Henri Janne versucht, von historischer Warte aus eine Datierung der 16. Epode zu finden, und gelangt, in der Hauptsache von den V. 11/12 ausgehend, die er auf den Parthereinfall des Jahres 40 v. Chr. bezieht, zu dem Ergebnis, daß die Epode nach dem Perusinischen Krieg im September des Jahres 40 knapp vor dem Abschluß des Foedus Brundisinum geschrieben sein muß[9]. Seit dem Frühjahr dieses Jahres — H. Janne datiert sie in den März 40[10] — lief die große Offensive der Parther im Osten des Reiches. „En fin août-septembre 40, quand Antoine met le siège devant Brindes et s'empare de Siponte, c'est la menace du grand choc entre l'Occident et l'Orient: c'est le début d'une lutte panméditerranéement. Les partis se préparent fiévreusement à la lutte décisive et rassemblent leurs forces. L'Italie et particulièrement Rome vivaient des heures troubles ἥ τε ἄλλη Ἰταλία αὖθις ἐταράσσετο καὶ ἡ Ῥώμη ὅτι μάλιστα, (Dio 48, 28) La XVIᵉ épode a été composée dans la Rome troublée par la crainte de l'invasion antoinienne; les deux grands chefs par leur guerre fratricide allaient livrer Rome aux Parthes et les derniers patriotes n'auraient plus qu'à fuir vers l'Océan"[11]. Diese Datierung hat manches für sich und kann, wie H. Janne zeigt, historisch gut belegt werden, doch lassen sich von philologischer Seite Einwände gegen diese Datierung besonders in Hinblick auf das Verhältnis zu Epode 7 erheben, wie sich in der Folge noch erweisen wird. Ein anderer Einwand soll gleich an dieser Stelle erörtert werden. Die V. 11/12 der Epode, die, wie unsere Interpretation gezeigt hat[12], möglicherweise mit der

---

[7] Henry NETTLESHIP, Lectures and Essays, Oxford 1885, S. 153. — A. CARTAULT, Etudes sur les Satires d'Horace. Paris 1899, S. 27. — Th. PLÜSS, Jambenbuch, S. 108 ff. — K. WITTE, Horaz und Vergil, S. 25. — G. SCHÖRNER, a.a.O., S. 48. — L. HERRMANN, a.a.O., S. 333.

[8] JANNE, a.a.O., S. 129, der überhaupt dem Parthereinfall vom Jahre 40 v. Chr. zu große Bedeutung für die 16. Epode beimißt, hält diese Datierung für unmöglich, weil nach Cass. Dio 50, 1 sich die Parther zu dieser Zeit ruhig verhielten.

[9] H. JANNE, a.a.O., S. 131.

[10] H. JANNE, a.a.O., S. 128.

[11] H. JANNE, a.a.O., S. 132.

[12] Siehe S. 28 f. (Interpretation).

Vorstellung parthischer Reiter in Verbindung gebracht werden können, obwohl der Ausdruck „barbarus" ganz allgemein gehalten ist[13], setzen jedoch keineswegs zur Zeit der Abfassung der Epode eine bedrohliche Invasion der Parther im Osten voraus. Horaz spricht in den vorhergehenden Versen in erster Linie von der Selbstvernichtung der Römer, die er visionär vorauszusehen glaubt (perdemus). Wenn Rom „suis viribus" gefallen ist, und wilde Tiere wieder von der Stadt Besitz ergriffen haben, dann werden die Barbaren von den Grenzen des führerlosen Reiches[14] bis an die Trümmerstätte der einstigen „Urbs" vordringen. Daß Horaz dabei an die aktuellste Gefahr seiner Zeit, an die Parther gedacht haben mag, ist nicht abwegig; sie bedeuteten über das Jahr 36 v. Chr. hinaus, in dem Antonius eine schwere Niederlage erlitten hat, ja bis in augusteische Zeit eine latente Bedrohung des Imperium Romanum[15]. Wir sehen, daß nur eine sorgfältige Synthese von Textanalyse und Auswertung der historischen Gegebenheiten zu einem Ergebnis von einiger Sicherheit führen kann.

Und damit kommen wir zur letzten und, wie sich noch zeigen wird, am besten belegbaren Möglichkeit einer Datierung, und zwar in das Jahr 38 v. Chr.[16], etwa in dieselbe Zeit, der auch die 7. Epode mit großer Wahrscheinlichkeit ihre Entstehung verdankt. Wie wir im folgenden darlegen wollen, liegt der Schlüssel zur Datierung der 16. Epode weniger in den historischen Ereignissen als vielmehr in dem engen Verhältnis der 7. und der 16. Epode zueinander. Beide sind von tiefem Pessimismus gekennzeichnet, beide ohne Hoffnung auf Besserung der politischen Situation. In beiden Gedichten wendet sich Horaz in direkter Rede an eine imaginäre Versammlung römischer Bürger, in beiden bedient sich der Dichter in auffallend paralleler Gestaltung rhetorischer Kunstmittel wie der rhetorischen Frage (Epod. 7, 1—10 – Epod. 16, 15—16 und 23—24) und der Priamel (Epod. 7, 5—10 – Epod. 16, 3—8, 25—34 und in der Schilderung der Seligen Inseln) und in beiden haben wir einen monologisch vom Dichter geführten Dialog vor uns. Die genannten Parallelen sprechen für eine eher engbegrenzte Entstehungszeit der beiden Epoden, die demnach auch — man wird es wohl annehmen dürfen — derselben politischen Situation entwachsen sind[17]. Fraglich ist nunmehr die Reihenfolge der beiden Gedichte. Im allgemeinen wird Epode 16 als das frühere Werk angesehen[18], ohne daß, wie wir glauben, die inhaltlichen Bezüge der beiden Gedichte zur Genüge berücksichtigt wurden. Nur einige Versuche sind unternommen worden, die 16.

[13] A. KURFESS: Bemerkungen zu Horazens Jambenbuch, Phil. Wschr. 1935, Sp. 847, vertritt wie Heinze ebenfalls die Meinung, daß man bei den V. 10/11 nicht unbedingt an die Parther denken muß.
[14] Über die Gleichsetzung Imperium = Rom siehe Harald FUCHS, a.a.O., S. 1 f. und S. 9.
[15] RE „Parthia" Sp. 1993 ff.
[16] B. KIRN, a.a.O., S. 43. — R. SYME, The Roman Revolution. Oxford 1956, S. 218, Anm. 1. — K. BARWICK, a.a.O., S. 57 f. — Ed. FRAENKEL, a.a.O., S. 53. — E. CASTORINA, a.a.O., S. 253. — R. SYME, a.a.O., S. 286, Anm. 49. — Antonio LA PENNA, Orazio e l'Ideologia del Principato. Turin 1963, S. 30.
[17] K. BARWICK, a.a.O., S. 58. — Antonio LA PENNA, a.a.O., S. 29 ff.
[18] Siehe S. 9, Anm. 1.

Epode nach der 7. zu reihen[19]. Die meisten Gründe für diese Reihung hat K. Barwick erbracht; er nennt in der Hauptsache drei:

1. Die 7. Epode steht unter dem unmittelbaren Eindruck der Wiederaufnahme der Feindseligkeiten, während in Epod. 16 der Krieg bereits im Gange ist.

2. Die 7. Epode stellt zwar die Frage nach dem Grund der immerwährenden Kämpfe und nennt in den letzten Versen als Ursache die im Brudermord des Romulus begründete Blutschuld der Römer. Doch einen Ausweg zeigt der Dichter in Epod. 7 noch nicht; ihn finden wir erst im Auswanderungsplan der 16. Epode.

3. Dieser Plan in seiner ganzen Ungeheuerlichkeit kann jedoch nicht irgendeinem Vergehen der Elterngeneration entspringen[20], wohl aber der Erkenntnis des schicksalhaften Fluches, von dem Horaz in Epod. 7 spricht[21].

Man kann jedoch noch über Karl Barwick hinausgehen. Wie im Rahmen der Interpretation bereits dargelegt wurde, wird in Epod. 7, 9/10 der Wunsch einer Selbstvernichtung Roms von den Parthern ausgesprochen, in Epod. 16 wird diese Selbstvernichtung vom Dichter als vom Schicksal verhängte Gewißheit hingestellt (vgl. Epod. 7, 9/10 und Epod. 16, 2 und 9). Auch bringt Epod. 16 gewissermaßen die Erfüllung der „vota Parthorum" in Epod. 7; denn die Parther wünschten eine Selbstzerstörung Roms nicht nur, um darüber innerlich zu triumphieren, sondern um Besitz vom römischen Reich zu ergreifen. Nichts anderes schildern die V. 11/12 der 16. Epode, wenn der Dichter, den Blick in die Zukunft gerichtet, sagt: „barbarus heu cineres insistet victor et urbem / eques sonante verberabit ungula". Auf die Beziehungen und die sprachlichen Anklänge von Epod. 7, 17—20 und Epod. 16, 9 wurde bereits verwiesen[22]. Die, wie man sieht, mehrfachen Verbindungsfäden zwischen Epod. 7 und 16, die von den einzelnen Kommentatoren auch zum Teil erkannt wurden, werden dem antiken Leser, dem die Sammlung ebenso geschlossen vorlag wie uns, nicht entgangen sein. Und damit kommen wir zur Stellung der beiden Gedichte innerhalb der Sammlung selbst. Auch sie kann uns einen Fingerzeig für die Datierung der beiden Epoden geben. In der Epodensammlung finden sich mit Ausnahme der besprochenen Gedichte noch drei weitere Gedichtpaare, die motivisch und inhaltlich eng miteinander verknüpft sind: Epod. 8 und 12, Epod. 5 und 17, Epod. 1 und 9. Betrachtet man innerhalb der einzelnen Paare jedes der beiden Gedichte unter dem Aspekt seiner Entstehungszeit und vergleicht damit seine Stellung in der Sammlung, so ergibt sich für Epod. 5 und 17 mit großer Wahrscheinlichkeit[23] und für Epod. 1 und 9 mit Sicherheit, daß Horaz das früher

---

[19] Erich Burck im Angang zum Odenkommentar von R. Heinze. — H. Lietzmann, Der Weltheiland. Bonn 1909, S. 7. — B. Kirn, a.a.O., S. 44. — R. A. Schroeder, Horaz als politischer Dichter. Europ. Revue 11, 1/1935, S. 317. — K. Barwick, a.a.O., S. 59. — P. Grimal, a.a.O., S. 729. — Orelli, der jedoch beide Gedichte in die Zeit des Perusinischen Krieges datiert. — Auch K. Witte, Gesch. d. röm. Dichtk. II, 2, S. 68, Anm. 2 und L. Herrmann, a.a.O., S. 336 stellen Epod. 7 vor Epod. 16, doch setzen sie beide Gedichte in der Zeit um Aktium an. L. Herrmann meint auf Epod. 7 folgt zunächst Epod. 1, dann Epod. 16 und Epod. 9, doch ist seine Beweisführung nicht überzeugend.
[20] Siehe S. 26 f.
[21] K. Barwick, a.a.O., S. 59 f., weist im besonderen auf Epod. 16, 9 und 38 „inominata" hin.
[22] Siehe S. 26 f.   [23] Ed. Fraenkel, a.a.O., S. 62.

entstandene Gedicht jedes Paares auch innerhalb der Sammlung als erstes der beiden gereiht hat[24]. Von dieser Beobachtung ausgehend wäre auch Epod. 7 ihrer Stellung nach gegenüber Epod. 16 als das früher entstandene Gedicht zu werten.

Wenn wir alle diese Gründe zusammenfassen, können wir doch mit einem hohen Wahrscheinlichkeitsgrad Epod. 16 als das spätere Werk annehmen und kämen dann in Relation zur Datierung der 7. Epode in die bereits genannte Zeit des Jahres 38 v. Chr.

Zum Abschluß muß diese Datierung jedoch noch unter historischem Aspekt geprüft werden, ob jene Gründe, die für eine frühere Datierung in Anspruch genommen wurden, auch für das Jahr 38 zutreffen. Die Verhältnisse in Italien hatten sich nach dem aus der Not der Stunde entstandenen Vertrag von Puteoli mit Sex. Pompeius rasch verschlechtert. Pompeius nahm die Blockade Italiens wieder auf und Octavian sah sich in Anbetracht der drohenden Hungersnot gezwungen, gegen den Willen des Antonius zu Beginn des Jahres 38 den Kampf mit Pompeius wieder zu beginnen. In diese Zeit haben wir die 7. Epode datiert. Nach kurzen Anfangserfolgen nahm die Auseinandersetzung einen für Octavian ungünstigen Verlauf, er verlor seine gesamte Flotte[25] und „in Rome the mob rioted against Octavianus and the war"[26]. Unter dem Druck der Verhältnisse begann Octavian mit dem Bau einer neuen Flotte; ein Ende des Kampfes war unabsehbar. Etwa zur selben Zeit wurde die Lage im Osten wieder bedrohlicher. Die im Jahre 39 von Ventidius Bassus zurückgeschlagenen Parther versuchten unter Führung des Parcorus eine neue Invasion nach Syrien und überschritten den Euphrat. Am 9. Juni 38 v. Chr. wurden sie dann bei Gindaros in der Kyrrhestike geschlagen. In dieser Zeit, unter dem Eindruck des ungünstigen Kampfverlaufes gegen Sex. Pompeius und bevor die Parther besiegt wurden bzw. Ventidius Bassus am 27. November 38 seinen strahlenden Triumph in Rom feierte, dürfte Epod. 16 entstanden sein[27]. Denn, wie bereits dargelegt wurde, ist eine massierte Invasion der Parther zwar keineswegs Voraussetzung für die V. 11/12 der 16. Epode, doch dürfte andererseits der Triumph über diesen gefürchteten Feind eine allgemeine Aufhellung der politischen Situation für den Augenblick gebracht haben.

Ein weiterer historischer Fingerzeig wurde bereits im Rahmen der Interpretation erwähnt in Zusammenhang mit „altera aetas" in V. 1 der 16. Epode. Eine historische Scheidungslinie der prior aetas (= Veteranen Caesars) und der „altera aetas" (= Generation des Dichters) stellt die Ansiedlung der Veteranen vor Beginn und während des Perusinischen Krieges dar. Man könnte sie als terminus post quem für die 16. Epode anführen.

Die persönliche Lage des Dichters hatte sich seit dem Jahre 41/40 zwar gebessert, doch war sie nach wie vor von den Sorgen um die bloße Existenz gekennzeichnet. Eduard Fraenkel hat wohl mit Recht darauf hingewiesen[28], daß Horazens

---

[24] Epod. 8 und 12 scheiden wegen mangelnder Anhaltspunkte für den Vergleich aus.
[25] App. b. c. V 86—90, Cass. Dio 48, 48.
[26] R. Syme, Revolution, S. 230, App. b. c. V 92.
[27] P. Grimal, a.a.O., S. 728, datiert zwischen Februar und April des Jahres 38, doch so genau läßt sich die Epode kaum festlegen.
[28] Ed. Fraenkel, a.a.O., S. 53. (Dt. Ausg., Darmstadt 1963, S. 63)

persönliches Leben in dieser frühen Zeit nach der Schlacht bei Philippi wohl alles andere als geruhsam war. Wahrscheinlich trat er 41 v. Chr. sein Amt als scriba quaestorius an; dieses ungewohnte Amt dürfte ihn am Anfang sehr in Anspruch genommen haben. „Man kann sich nur schwer vorstellen, daß er unter diesen Umständen genügend Muße und geistige Freiheit gehabt hat, sich mit den Vorbereitungen abzumühen, die für eine literarische Leistung wie die sechzehnte Epode unerläßlich waren".

Einen Einwand könnte man freilich gegen unsere Datierung vorbringen. In das Frühjahr 38 v. Chr. fällt die erste Begegnung des Horaz mit Maecenas, und dieses Datum wird meist als terminus ante quem für die 16. Epode angenommen[29]. Doch darf man dieses erste Bekanntwerden noch nicht als ein schon gesichertes Verhältnis oder gesellschaftliches Bündnis zwischen diesen beiden Männern auffassen. Horaz schreibt darüber sat. I, 6, 56 ff.:

> ut veni coram, singultim pauca locutus —
> infans namque pudor prohibebat plura profari —
> non ego me claro natum patre, non ego circum
> me Satureiano vectari rura caballo,
> sed quod eram narro. responded, ut tuus est mos,
> pauca; abeo, et revocas nono post mense iubesque
> esse in amicorum numero.

„Neun Monate nach der ersten Begegnung vom Frühjahr 38 wird der Dichter von Maecenas in seinen Kreis durch nachdrückliche Einladung aufgenommen"[30]. Dieses erste Zusammentreffen wird aber kaum mit einem Schlag die Stimmung und die politische Auffassung des Dichters von Grund auf verändert haben. Auch als er bereits durch ein enges Band der Freundschaft mit Maecenas verbunden war, bewahrte er stets seine eigenen Anschauungen und verhehlte sie nie.

---

[29] So z. B. K. BARWICK, a.a.O., S. 58.
[30] Walter WILI, Horaz, Basel 1948, S. 35.

5 Ableitinger-Grünberger, Der junge Horaz

4. Imitatio und Originalität in der 16. Epode

Die literarischen Einflüsse auf die 16. Epode sind, wie die einschlägige Fach-
literatur beweist, zahlreich und gehen von den verschiedensten Literaturgattungen
aus. Wieweit es sich dabei um bewußte Imitatio oder um unbewußte Übernahme
allgemein bekannten Gedankengutes handelt, ist oft schwer zu entscheiden. Bewußte Imitatio liegt mit Sicherheit in der Übernahme des Phokäermotives aus
Herodot I 165 vor und in den wörtlichen Anspielungen auf die 4. Ekloge Vergils,
deren Priorität sich aus unserer Datierung notwendig ergibt[1]. Daneben lassen sich
im Laufe des Gedichtes vielfache Beziehungen finden. So läßt sich eine motivische
Verwandtschaft zu Vergils 1. Ekloge feststellen. In beiden Gedichten ergreifen
Barbaren Besitz vom Land, beide schildern das Elend der Bürgerkriege und stellen
der allgemeinen Not ein Idyll des Friedens gegenüber[2]. Friedrich Klingner weist auf
die Ähnlichkeit der V. 70/71 der 1. Ekloge und der V. 9 ff. der Epode hin. Bei
Vergil „ist der Barbar, der entsetzlicherweise den Heimatboden betreten und besitzen
wird, nicht der fremde Sieger, sondern der angesiedelte röm. Soldat fremden Blutes

---

[1] Die Prioritätsfrage im Zusammenhang mit der 4. Ekloge und der 16. Epode hat eine
Flut an Literatur nach sich gezogen. Keine Arbeit hat jedoch bisher auf philologischem
Weg mit Sicherheit die Priorität eines der beiden Gedichte erweisen können, so daß man
annehmen muß, daß die sprachlichen Anhaltspunkte nicht ausreichen, dieses Problem zu
lösen. Auch die Arbeit W. WIMMELs im H. 81/1953, in der er für die Priorität des Horaz
eintritt und deren Ergebnisse bereits von H. FUCHS und C. BECKER (H. 83/1955, S. 345,
Anm. 2) in Frage gestellt wurden, wie auch sein neuester Aufsatz (H. 89/1961) „Vergils
Eclogen und die Vorbilder der 16. Epode des Horaz" haben trotz Beibringung neuen
Materials auf philologischem Weg kaum eine endgültige Lösung dieser schwierigen Frage
bringen können. *Für die Priorität des Horaz* treten u. a. ein: S. SUDHAUS, a.a.O., S. 50 f.
— Fr. SKUTSCH, a.a.O., S. 373. — J. KROLL, a.a.O., S. 630 f. — Wilhelm KROLL, Horazens
16. Epode und Vergils Bukolika. H. 57/1922, S. 600 ff. — P. CORSSEN, a.a.O., S. 67 f. —
Fr. KLINGNER, Vergils erste Ekloge. H. 62/1927, S. 143 f. — G. ERDMANN, a.a.O., S. 78
und 88. — K. BÜCHNER, Jber. S. 164 ff. — A. NOYES, a.a.O., S. 54 ff. — W. WIMMEL,
H. 81/1953. — H. DREXLER, a.a.O., S. 135. — E. BICKEL, a.a.O., S. 214. — George E.
DUCKWORTH, Animae Dimidium Meae. TAPhA 87/1956, S. 290. — W. WIMMEL, a.a.O.,
H. 89/161. — K. BÜCHNER, Lit. Gesch. S. 311. — H. TRÜMPNER, a.a.O., S. 103.
Für die Priorität Vergils treten u. a. ein: Th. PLÜSS, Iambenbuch, S. 105 ff. — K. WITTE,
Horazens 16. Epode und Vergils Bukolika. Phil. Wschr. 1921, Sp. 1095 ff. — B. KIRN
a.a.O., S. 43. — Alfons KURFESS, Vergils 4. Ekloge und Horazens 16. Epode. Phil. Wschr.
1935, Sp. 332 und 336. — A. KURFESS, Vergil und Horaz. Phil. 91/1936, S. 417 ff. —
E. GRISET, Ancora sul famoso epodo XVI di Orazio. MC 1938, S. 34. — B. SNELL,
H. 1938. — K. BARWICK, Phil. 96/1944. — H. FUCHS, Rückschau und Ausblick im
Arbeitsbereich der lateinischen Philologie. MH 4/1947, S. 184, Anm. 101. — Franz DORN-
SEIFF, Verschmähtes zu Vergil, Horaz und Properz. Ber. über d. Verh. d. sächs. Akad.
d. Wiss. zu Leipzig, phil./hist. Kl. 97/1951, H. 6, S. 55. — A. KURFESS, Vergil und
Horaz. ZRGG 6/1954, S. 359 f. — Carl BECKER, Vergils Eklogenbuch. H. 83/1955,
S. 341 ff. — Eduard NORDEN, Die Geburt des Kindes. Stuttgart 1958 (3. Aufl.), S. 6,
Anm. 2. — J. H. WASZINK, a.a.O., S. 196. — P. GRIMAL, a.a.O., S. 721. — Fr. KLINGNER,
Studien, S. 238, Anm. 1 (Korrektur zu H. 62/1927). — Ed. FRAENKEL, a.a.O., S. 51. —
B. GATZ, a.a.O., S. 172 f.
[2] J. KROLL, a.a.O., S. 630.

aus den Grenzgebieten des Reiches". Klingner meint, daß diese Vorstellung komplizierter sei als die Schilderung in Epod. 16, 11 und leitet daraus die Priorität des Horaz ab[3]. Doch entsprechen die genannten Verse der 1. Ekloge den unmittelbaren Eindrücken Vergils von den realen Vorgängen bei den Veteranenansiedlungen und den damit verbundenen Landenteignungen in Italien. Man wird daher die V. 70/71 der 1. Ekloge eher auf diese Eindrücke als auf eine Anlehnung an Horazens 16. Epode zurückführen dürfen. Umgekehrt läßt sich jedoch nicht ohne weiteres für eine direkte Anlehnung des Horaz an die zitierten Vergilverse plädieren, denn ähnliche Schilderungen finden sich auch in anderen Literaturbereichen. Besonderes Interesse verdienen die sich immer wieder aufdrängenden Parallelen zum östlichen, im speziellen jüdischen Kulturkreis: So hat zum Beispiel die Vorstellung, daß Barbaren vom Land Besitz ergreifen, vgl. Jes. 1, 7, ebenso wie das V. 10 vorliegende Motiv, daß wilde Tiere das Land bewohnen, vgl. Jes. 13, 21/22:

καὶ ἀναπαύσονται ἐκεῖ θηρία, καὶ ἐμπλησθήσονται αἱ οἰκίαι ἤχου, καὶ ἀναπαύσονται ἐκεῖ σειρῆνες, καὶ δαιμόνια ἐκεῖ ὀρχήσονται, καὶ ὀνοκένταυροι ἐκεῖ κατοικήσουσι, καὶ νοσσοποιήσουσιν ἐχῖνοι ἐν τοῖς οἴκοις αὐτῶν

und auch Jerem. Threnoi 5, 17/18:

περὶ τούτου ἐγενήθη ὀδυνηρὰ καρδία ἡμῶν, | περὶ τούτων ἐσκότασαν οἱ ὀφθαλμοὶ ἡμῶν· | ἐπ'ὄρος Σιων, ὅτι ἠφανίσθη, | ἀλώπεκες διῆλθον ἐν αὐτῇ

oder, daß, nach einer anderen Version, Vieh auf der vormals bewohnten Stätte weiden wird[4], vgl. Jes. 17, 1/2:

Ἰδοὺ Δαμασκὸς ἀρθήσεται ἀπὸ πόλεων καὶ ἔσται εἰς πτῶσιν, καταλελειμμένη εἰς τὸν αἰῶνα, εἰς κοίτην ποιμνίων καὶ ἀνάπαυσιν, καὶ οὐκ ἔσται ὁ διώκων

und Jes. 27, 10[5]:

τὸ κατοικούμενον ποίμνιον ἀνειμένον ἔσται ὡς ποίμνιον καταλελειμμένον· καὶ ἔσται πολὺν χρόνον εἰς βόσκημα, κἀκεῖ ἀναπαύσονται

einen festen Platz im östlichen Gedankengut. — Man wird an dieser Stelle eher an eine Übernahme aus der traditionellen Topik denken als an direkte Imitatio. Auch die V. 13 f. stehen in einer alten literarischen Tradition, wie Franz Skutsch gezeigt hat. Die Schändung des Gründergrabes als Symbol für den unwiderruflichen Untergang einer Stadt findet sich wiederholt in griechischen Quellen[6].

Im Zusammenhang mit dem Auswanderungsplan der 16. Epode und in Hinblick auf die Seligen Inseln als Ziel dieser Auswanderung wird im allgemeinen auf Sallusts Sertorius-Erzählung frgm. I 100—103 M hingewiesen, die jener möglicherweise über Poseidonios aus Diodor 5, 19 f. übernommen hat[7]. Im Zusammenhang

---

[3] Fr. KLINGNER, H. 62, S. 143. (Diese Ansicht wurde in den Studien, S. 238, Anm. 1 widerrufen.)
[4] Vgl. auch Horaz, C. III, 3, 41 f.   [5] Vgl. auch Jes. 5, 17.   [6] Siehe S. 29, Anm. 21.
[7] Karl BARWICK, a.a.O., S. 66 f., Harald FUCHS, a.a.O., S. 11, Georg SCHÖRNER, a.a.O., S. 43, J. H. WASZINK, a.a.O., S. 196. Im Gegensatz zu diesen Meinungen vermutet L. LEVI, a.a.O., S. 168, daß Horaz eher den Auswanderungsplan der Römer nach Veji zur Zeit der Galliereinfälle vor Augen hatte. Doch läßt sich diese Annahme aus der Epode selbst durch keinen Hinweis stützen.

mit der 7. Epode wurde bereits auf die enge Beziehung des Inhaltes und der Grundstimmung des Gedichtes zu Sallusts erstem Historienbuch hingewiesen. Auch die Auffassung der politischen Verhältnisse in der 16. Epode entspricht weitgehend der pessimistischen Grundhaltung von Sallusts Spätwerk[8], die sich bereits in den früheren Werken, bes. in den Episteln an Caesar, ankündigte[9]. Die Beziehungen des Horaz zu Sallust dürften überhaupt, wie Georg Schörner und neuerdings R. Syme vielfach zeigen konnten, zahlreicher und vielschichtiger gewesen sein, als man annimmt, und müßten im einzelnen noch untersucht werden; doch würde dies im Rahmen unserer Arbeit zu weit führen. Der Gedanke einer Auswanderung findet sich auch bei Vergil in der 1. Ekloge. „Meliboeus will aus seinem Vaterland auswandern; wohin ist gleichgültig[10], wenn es nur fortgeht, denn ‚impius[11] haec tam culta novalia miles habebit, barbarus has segetes: en quo discordia civis produxit miseros, his nos conservimus agros' (V. 70 ff.)."[12] Harald Fuchs hingegen meint, „Der Plan eines Auszuges aus Rom hat sein Gegenstück in der Vorstellung der östlichen Welt, daß in den Tagen der Endzeit die standhaft bleibenden Frommen sich durch die Flucht aus den Stätten der Sünde vor der allgemeinen Vernichtung würden bewahren können". Er weist besonders auf die kleine Apokalypse der drei synoptischen Evangelien und auf das bei Laktanz im 7. Buch der Divinae Inst. überlieferte Orakel des Hystaspes hin. Auch in diesen östlichen Weissagungen finden sich die Bürgerkriege als Zeichen des hereinbrechenden Unterganges[13], auch dort fällt Rom und das Reich dem vom Osten vordringenden Feind anheim. Im Zentrum dieser Endzeitschilderungen steht nun die Flucht und Errettung derer, „die besser sind als die anderen und die geradezu als die ‚Frommen' bezeichnet werden dürfen". Harald Fuchs weist aber auch auf die originelle Gestaltung bei Horaz hin: die eigene Schuld der Bürger werde hervorgehoben und der Dichter stelle sich selbst als Glied jener Gemeinschaft dar, die vom Verhängnis getroffen werden soll[14]. Gestaltet hat Horaz diesen Plan jedoch in Anlehnung an Herodot I 165 am Beispiel der Phokäer.

Wir sehen an dieser Zusammenstellung die Vielschichtigkeit der möglichen Einflüsse auf ein einziges Motiv des Gedichtes.

Auf die literarischen Bezüge der einzelnen, mit einer Reminiszenz an Herodot beginnenden Adynata und auf ihre besondere Gestaltung bei Horaz wurde bereits in der Interpretation hingewiesen, ebenso auf die in V. 39 vielleicht vorliegenden Archilochosreminiszenzen.

---

[8] Zeitliche Schwierigkeiten für eine Beziehung des Horaz zu Sallusts Spätwerk, auf die Jos. KROLL, a.a.O., S. 632, Anm. 1, hinweist, können bei unserer geringen Kenntnis über die tatsächliche Veröffentlichung der Historien nicht ausgeschlossen werden. Doch wäre es immerhin möglich, daß Teile der Historien bereits Ende 39/Anfang 38 veröffentlicht wurden, wie Karl BARWICK, a.a.O., S. 67, meint.

[9] Georg SCHÖRNER, a.a.O., S. 39 ff. — R. SYME, Sallust, S. 284 ff.

[10] Vgl. dazu Epod. 16, 21 f.

[11] Vgl. dazu das „impietas-Motiv" in der 16. Epode.

[12] Jos. KROLL, a.a.O., S. 629 f.

[13] Auch für Sallust war der Bürgerkrieg ein Anzeichen der letzten Dinge; siehe Harald FUCHS, Widerstand S. 9.

[14] Harald FUCHS, GArb. 5/1938, S. 5 f.

Doch soll es nicht die Aufgabe dieses Abschnittes unserer Arbeit sein, eine vollständige Zusammenstellung der in Frage kommenden literarischen Einflüsse zu geben, sondern wir wollen nunmehr an Hand eines Beispieles einerseits die Vielschichtigkeit dieser Einflüsse und andererseits ihre Verwendung im Gedicht betrachten. Zu diesem Zweck haben wir aus der an Motiven reichen Schilderung der Seligen Inseln die V. 43—47 ausgewählt.

Zunächst wollen wir uns den möglichen Berührungspunkten der 16. Epode V. 43—47 mit der 4. Ekloge zuwenden. Dazu gehören einmal die V. 28—30 der Ekloge[15]:

molli paulatim flavescet campus arista	(GETREIDE)
incultisque rubens pendebit sentibus uva	(WEIN)
et durae quercus sudabunt roscida mella.	(HONIG)

Karl Barwick weist auf die gleiche Reihenfolge der Motive, Getreide, Wein und Honig, bei Horaz hin, die, wie er meint, nicht Zufall sein kann, wobei er allerdings bemerkt, daß in der 16. Epode auf den Wein zunächst die Olive und die Feige in der Aufzählung folgen[16].

Weiters gehören die V. 39/40 der Ekloge in diesen Zusammenhang, die, wie wir sehen werden, der Epode tatsächlich nahestehen:

... omnis feret omnia tellus.
non rastros patietur humus, non vinea falcem.

Keine Erwähnung findet bei Vergil die Olive, die als Frucht in den Bukolika nie genannt wird[17], ebensowenig wie die Feige oder der Feigenbaum, die sich bei Vergil überhaupt nicht finden. Olive und Feige sind vor Horaz in der lateinischen Dichtung, im Gegensatz zu der griechischen und zu Werken des östlichen Kulturbereiches selten. Sie finden sich einige Male in der die Landwirtschaft betreffenden Prosa und vereinzelt bei Cicero und Caesar[18]. Die Feige allein verwendet Ennius einmal[19], wobei wegen der lückenhaften Überlieferung der Zusammenhang im einzelnen nicht mehr feststellbar ist, Lucilius wiederholt[20] und Plautus zweimal[21]. Terenz, Lukrez, Catull und, wie bereits erwähnt, Vergil haben ihr keinen Platz in ihren Werken eingeräumt. Ähnlich verhält es sich mit der Olive. Darüber hinaus findet sich auch für das Quellenmotiv in V. 47 der Epode keine Vorlage bei Vergil in der 4. Ekloge. Man wird bei der Frage, wieweit Horaz in diesen Versen von Vergil abhängig ist, mit großer Sorgfalt vorgehen müssen. Wie Franz Skutsch bemerkt[22], sind Schilderungen ländlichen Segens in realen und irrealen Landschaften häufig

---

[15] K. WITTE, Horaz und Vergil, S. 17.   [16] K. BARWICK, a.a.O., S. 49.

[17] Ekl. V 16 und Ekl. VIII 16 als Bezeichnung des Baumes.

[18] Vgl. Caes. B. Afr. 67, 2; Cic. (ficus) phil. frg. I 18, Cato 52, Flacc. 41, (oliva jedoch in der Bedeutung Ölbaum) nat. deor. 2, 22 und 3, 45.

[19] Enn. ann. 264.

[20] Die Stellen bei Lucilius sind besonders stark fragmentiert, so daß sie keine genaue Deutung zulassen: 195, 1111, 1220 (W. Krenkel, Leiden 1970).

[21] Plaut. Mer. 943, Ru. 764.

[22] F. SKUTSCH, a.a.O., S. 370; ebenso Gino FUNAIOLI, Ancora la 4ª Ecloga die Virgilio e il 16ᵉ Epodo di Orazio. MB 1930, S. 55.

und die einzelnen Motive bereits vor Vergil bekannt und gebräuchlich. Über den vergilischen Einfluß hinaus, werden wir bei Horaz zahlreiche andere Beziehungen finden und zwar nicht nur in den bei Vergil fehlenden Elementen dieser Verse.

In der griechischen Dichtung begegnen wir schon bei Homer ähnlichen Schilderungen. In der Od. 9, 106 ff. beschreibt Homer das Land der Zyklopen:

> Und wir erreichten das Land der ruchlos wilden Kyklopen,
>
> ... οἵ ῥα θεοῖσιν πεποιθότες ἀθανάτοισιν
> οὔτε φυτεύουσιν χερσὶν φυτὸν οὔτ'ἀρόωσιν·
> ἀλλὰ τά γ'ἄσπαρτα καὶ ἀνήροτα πάντα φύονται,
> πυροὶ καὶ κριθαὶ ἠδ'ἄμπελοι, αἵ τε φέρουσιν
> οἶνον ἐριστάφυλον, καὶ σφιν Διὸς ὄμβρος ἀέξει.

Die Parallelen zu Horaz sind mehrfacher Natur, so etwa die Erwähnung von Getreide, Wein (V. 110) und des von Zeus gesandten Regens, von Motiven also, die sich, was die beiden ersten betrifft, auch bei Vergil finden. Besonders bemerkenswert ist darüber hinaus für die Betrachtung der Epode das Adjektiv ἀνήροτος bei Homer. Es ist die genaue griechische Entsprechung zu „inaratus" in Epod. 16. Beide Bildungen sind originell; ἀνήροτος findet sich ebenso wie das mit ihm verbundene ἄσπαρτος nur bei Homer und außer an der zitierten Stelle noch einmal in übertragenem Sinn in Od. 9, 123[23]; andererseits ist das Wort „inaratus" vor Horaz im Lateinischen nicht zu belegen, ebensowenig wie das Adjektiv „inputatus". Möglicherweise schuf Horaz diese beiden Wörter in Anlehnung an Homer. Motivisch entsprechen „inaratus" und im besonderen „inputatus" verbunden mit „vinea" dem V. 40 der 4. Ekloge: „non rastros patietur humus, non vinea falcem".

Die Erde als Spenderin von Getreide ist auch ein beliebtes Motiv Hesiods. In seiner Schilderung des goldenen Zeitalters E. k. H. 109 ff. lesen wir V. 117 f.:

> ... καρπὸν δ'ἔφερεν ζείδωρος ἄρουρα
> αὐτομάτη πολλόν τε καὶ ἄφθονον ...

Ähnlich schildert Hesiod V. 170 ff. die Inseln der Seligen — auf ihnen führen Heroen ein glückliches Dasein, τοῖσιν μελιηδέα καρπὸν / τρὶς ἔτεος θάλλοντα φέρει ζείδωρος ἄρουρα — und V. 225 ff. das Leben in der πόλις τῶν δικαίων. Diese Verse erinnern in ihrem gesamten Tenor stark an Horazens 16. Epode. Den Gerechten wird Frieden zuteil und Verschonung von Krieg, Hunger und Fluch; τοῖσιν φέρει μὲν γαῖα πολὺν βίον, οὔρεσι δὲ δρῦς / ἄκρη μέν τε φέρει βαλάνους, μέσση δὲ μελίσσας. Die Beziehungen von V. 47 der Epode, in dem Horaz ebenfalls von den hohlen Eichen spricht, zu V. 233 der E. k. H. scheint enger als zu Vergils Ekl. 4, 30. In V. 236 spricht Hesiod von der Unnotwendigkeit der Schiffahrt, καρπὸν δὲ φέρει ζείδωρος ἄρουρα. Mit V. 238 setzt Hesiod dem positiven Bild das negative gegenüber:

> οἷς δ'ὕβρις τε μέμηλε κακὴ καὶ σχέτλια ἔργα,
> τοῖς δὲ δίκην Κρονίδης τεκμαίρεται εὐρύοπα Ζεύς.
> πολλάκι καὶ ξύμπασα πόλις κακοῦ ἀνδρὸς ἀπηύρα,
> ὅς τις ἀλιτραίνῃ καὶ ἀτάσθαλα μηχανάαται.

---

[23] Od. 9, 123 spricht Homer von den Frauen.

Es folgen die von Zeus verhängten Strafen, Pest, Hunger, Kinderlosigkeit, Vernichtung des Heeres und der Schiffe. Vereinfacht und als bloße Gegenüberstellung scheint hier das Schema der 16. Epode bereits vorweggenommen. Die V. 240/41 aber sind für die Schlußverse der 7. Epode von Bedeutung[24].

Starke motivische Parallelen zu Horazens 16. Epode finden wir auch bei Homer Od. VII 112 ff. in der Beschreibung des Gartens des Alkinoos; unter den Früchten des Gartens, den Birnen, Granatäpfeln und Äpfeln werden V. 116 auch Feigen und Oliven genannt: συκέαι τε γλυκεραὶ καὶ ἐλαῖαι τηλεθόωσαι[25], und in V. 120 f. neben Birnen und Äpfeln, Weintrauben und Feigen: αὐτὰρ ἐπὶ σταφυλῇ σταφυλή, σῦκον δ᾽ἐπὶ σύκῳ. Zum Abschluß erwähnt Homer V. 129 f. zwei Quellen (vgl. Epod. 16, 47), von denen eine den Garten bewässert:

> ἔν δὲ δύω κρῆναι ἡ μέν τ᾽ἀνὰ κῆπον ἅπαντα
> σκίδναται . . .

Zur Erwähnung von Wein, Feigen und Oliven, als Symbolen eines fruchtbaren Landes, muß auch Aristophanes genannt werden. Bei ihm dienen diese Schilderungen häufig zur Charakterisierung des Friedens in einem Land. In EI 571—81 ermahnt der Chor in einem hymnenartigen Gesang die Menschen zur Rückkehr in den ländlichen Frieden und zur alten Lebensweise. In der nun folgenden Beschreibung dieses Lebens nennt Aristophanes V. 574 ff. die Feigen, die Myrthen, den Most, das Veilchenbeet beim Brunnen und die Oliven (V. 577) und in den V. 595 ff. unmittelbar hintereinander eine aus Getreide bereitete Nahrung, Wein und Oliven[26]:

> Τοῖς ἀγροίκοισιν γὰρ ἦσθα χίδρα καὶ σωτηρία.
> ὥστε σὲ τά τ᾽ἀμπέλια
> καὶ τὰ νέα συκίδια
> τἄλλα θ᾽ὁπόσ᾽ἐστι φυτὰ | προσγελάσεται . . .

Eine ähnliche Friedensschilderung lesen wir A 989—99, wo V. 995 ff. als erste Arbeiten des Landmannes die Anpflanzung von Wein, Feigen und Oliven geschildert werden:

> πρῶτα μὲν ἂν ἀμπελίδος ὄρχον ἐλάσαι μακρόν,
> εἶτα παρὰ τόνδε νέα μοσχίδια συκίδων,
> καὶ τὸ τρίτον ἡμερίδος ὄσχον, ὁ γέρων ὁδί,
> καὶ περὶ τὸ χωρίον ἐλάᾳδας ἅπαν ἐν κύκλῳ,
> ὥστ᾽ἀλείφεσθαί σ᾽ἀπ᾽αὐτῶν κἀμὲ ταῖς νουμηνίαις.

Überhaupt liebte es Aristophanes, sich zuweilen in die Beschreibung des einfachen Landlebens zu versenken und seine Komödien mit hellen, friedlichen und lebendi-

---

[24] Siehe S. 17.
[25] Zur Erwähnung von Feige und Olive vgl. auch Od. 11, 590 in der Beschreibung der Qualen des Tantalos. — Zu Feige, Wein und Olive vgl. Od. 24, 246; vgl. auch Hipponax, frg. 38 (Anth. ed. Diehl): Feige und Weinstock.
[26] Komm. von Coulon zu dieser Stelle: „L'orge en vert, avec le marc d'olive, constituait la principale nourriture des campagnards en temp de paix.“

gen Wortaquarellen auszuschmücken, in denen wir die genannten Motive, immer wieder variiert, vorfinden[27].

Im Gegensatz dazu bietet Theokrit keine vergleichbaren Schilderungen[28]. Was die Erwähnung des sprudelnden Quells in Epode 16, 47 betrifft, wurde bereits auf Od. 7, 129 f. verwiesen. Heinze nennt in diesem Zusammenhang Diodor 5, 19, 3[29]. Es würde jedoch zu weit führen, ein bei den Griechen so beliebtes Motiv bis ins einzelne zu verfolgen, nur zwei Stellen seien noch erwähnt, die V. 44 ff. aus Theokrits 11. Idylle, in der er die Liebe Polyphems zu Galateia besingt:

ἅδιον ἐν τὤντρῳ παρ᾽ ἐμὶν τὰν νύκτα διαξεῖς.
ἐντὶ δάφναι τηνεί, ἐντὶ ῥαδιναὶ κυπάρισσοι,
ἔστι μέλας κισσός, ἔστ᾽ ἄμπελος ἁ γλυκύκαρπος,
ἔστι ψυχρὸν ὕδωρ, τό μοι ἁ πολυδένδρεος Αἴτνα
λευκᾶς ἐκ χιόνος ποτὸν ἀμβρόσιον προΐητι.

Zuletzt sei noch die poetisch vollendete Schilderung der Seligen Inseln in Pindars zweiter Olympischer Ode angeführt. Auch bei ihm finden wir die nährende Quelle: V. 68 ff.[30]:

ὅσοι δ᾽ ἐτόλμασαν ἐστρὶς
ἑκατέρωθι μείναντες ἀπὸ πάμπαν ἀδίκων ἔχειν
ψυχάν, ἔτειλαν Διὸς ὁδὸν παρὰ Κρόνου τύρσιν· ἔνθα μακάρων
νᾶσον ὠκεανίδες
αὖραι περιπνέοισιν· ἄνθεμα δὲ χρυσοῦ φλέγει,
τὰ μὲν χερσόθεν ἀπ᾽ ἀγλαῶν δενδρέων,
          ὕδωρ δ᾽ ἄλλα φέρβει,
ὅρμοισι τῶν χέρας ἀναπλέκοντι καὶ στεφάνους . . .

Die griechische Dichtung hat uns somit eine große Zahl von Parallelen für die 16. Epode geliefert und doch finden sich unter ihnen zwei Eigentümlichkeiten der horazischen Motive nicht, die wir noch behandeln wollen. Wie Usener[31] ausgeführt hat, finden sich Schilderungen eines „gelobten Landes" schon in ältester Zeit in der hebräischen Literatur. Meist wird von einem Land erzählt, das von Milch und Honig fließt[32]. Daneben kann man jedoch auch eingehendere Schilderungen finden, wie etwa Mos. 4, 13, 23 ff., bes. 24: καὶ ἤλθοσαν ἕως Φάραγγος βότρυος καὶ κατεσκέψαντο αὐτήν· καὶ ἔκοφαν ἐκεῖθεν κλῆμα καὶ βότρυν σταφυλῆς ἕνα ἐπ᾽ αὐτοῦ καὶ ἦραν αὐτὸν ἐπ᾽ ἀναφορεῦσιν καὶ ἀπὸ τῶν ῥοῶν καὶ ἀπὸ τῶν συκῶν. Fruchtbarkeit des Landes, günstiges Klima und ein von Mensch und Tier ungestörter Friede wird Mos. 3, 26, 4—6 jenen verheißen, die nach den Gesetzen Gottes leben: . . . καὶ δώσω τὸν ὑετὸν ὑμῖν ἐν καιρῷ αὐτοῦ, καὶ ἡ γῆ δώσει τὰ γενήματα

---

[27] Vgl. EI 557 ff. (siehe dazu auch Komm. v. COULON, Anm. 5) und besonders hübsch EI 1159 ff. — N 1119 und bes. 1124 f. Siehe auch Herodot I 193 in der Beschreibung des Zweistromlandes.

[28] Wein und Feige siehe Theocr. 5, 108 ff.

[29] Auch Diodor spricht an dieser Stelle von den Seligen Inseln.

[30] Ausgabe: Bruno Snell, Leipzig 1955.

[31] H. USENER, Die Sintflutsagen; Bonn 1899, S. 206 ff.

[32] Mos. 2, 3, 7/8 — 3, 20, 24 — 4, 13, 27 — 4, 14, 8 — 4, 16, 13 ff.

αὐτῆς, καὶ τὰ ξύλα τῶν πεδίων ἀποδώσει τὸν καρπὸν αὐτῶν· καὶ καταλήμψεται
ὑμῖν ὁ ἀλοητὸς τὸν τρύγητον, καὶ ὁ τρύγητος καταλήμψεται τὸν σπόρον, καὶ
φάγεσθε τὸν ἄρτον ὑμῶν εἰς πλησμονήν καὶ κατοικήσετε μετὰ ἀσφαλείας
ἐπὶ τῆς γῆς ὑμῶν· καὶ πόλεμος οὐ διελεύσεται διὰ τῆς γῆς ὑμῶν, καὶ δώσω
εἰρήνην ἐν τῇ γῇ ὑμῶν, καὶ κοιμηθήσεσθε, καὶ οὐκ ἔσται ὑμᾶς ὁ ἐκφοβῶν, καὶ
ἀπολῶ θηρία πονηρὰ ἐκ τῆς γῆς ὑμῶν·

Eine ähnliche Darstellung begegnet bei Mos. 5, 7, 13. Diese Segenschilderun-
gen sind zahlreich und besonders häufig werden sie durch das Gedeihen von Weinstock und Feigenbaum charakterisiert, vgl. Micha 4, 3/4 bes. 4: ... καὶ οὐκέτι μὴ
ἀντάρῃ ἔθνος ἐπ᾽ἔθνος] ῥομφαίαν, καὶ οὐκέτι μὴ μάθωσι πολεμεῖν· καὶ
ἀναπαύσεται ἕκαστος ὑποκάτω ἀμπέλου αὐτοῦ καὶ ἕκαστος ὑποκάτω συκῆς
αὐτοῦ, aber auch durch eine Fülle an Getreide, Most, Öl und Feigen, vgl. Joel 2,19
u. 22 f.[33]: ... Ἰδοὺ ἐγὼ ἐξαποστέλλω ὑμῖν τὸν σῖτον καὶ τὸν οἶνον καὶ τὸ
ἔλαιον, καὶ ἐμπλησθήσεσθε αὐτῶν ... 22 θαρσεῖτε, κτήνη τοῦ πεδίου, ὅτι
βεβλάστηκε πεδία τῆς ἐρήμου, ὅτι ξύλον ἤνεγκε τὸν καρπὸν αὐτοῦ, ἄμπελος
καὶ συκῆ ἔδωκαν τὴν ἰσχὺν αὐτῶν. καὶ τὰ τέκνα Σιων, χαίρετε..., διότι
ἔδωκεν ὑμῖν τὰ βρώματα εἰς δικαιοσύνην καὶ βρέξει ὑμῖν ὑετὸν πρόιμον καὶ
ὄψιμον καθὼς ἔμπροσθεν, καὶ πλησθήσονται αἱ ἄλωνες σίτου, καὶ ὑπερεκχυ-
θήσονται αἱ ληνοὶ οἴνου καὶ ἐλαίου. Auch hier wird dem Klima eine besondere
Stellung eingeräumt. Die Bedeutung des Wassers für die Fruchtbarkeit des Landes
findet sich bei Ezechiel 47, 12, wo die befruchtende Quelle dem Heiligtum selbst
entspringt: καὶ ἐπὶ τοῦ ποταμοῦ ἀναβήσεται ἐπὶ τοῦ χείλους αὐτοῦ ἔνθεν καὶ ἔνθεν.
πᾶν ξύλον βρώσιμον, οὐ μὴ παλαιωθῇ ἐπ αὐτοῦ, οὐδὲ μὴ ἐκλίπῃ ὁ καρπὸς
αὐτοῦ· τῆς καινότητος αὐτοῦ πρωτοβολήσει, διότι τὰ ὕδατα αὐτῶν ἐκ τῶν ἁγίων
ταῦτα ἐκπορεύεται, καὶ ἔσται ὁ καρπὸς αὐτῶν εἰς βρῶσιν καὶ ἀνάβασις αὐτῶν
εἰς ὑγίειαν. In diesen Zusammenhang gehören auch zwei Stellen aus dem Orac.
Sib.[34], die in den Schilderungen gesegneter Zeiten auch jüdisches Gedankengut
vermitteln. Es handelt sich um Or. Sib. III 620 ff.[35] und besonders um III 744 ff.;
dort wird das Friedensreich nach der Ankunft des Messias geschildert:

γῆ γὰρ παγγενέτειρα βροτοῖς δώσει τὸν ἄριστον
καρπὸν ἀπειρέσιον σίτου οἴνου τ᾽ἰδ᾽ἐλαίου·
V. 749: πηγάς τε ῥήξει γλυκερὰς λευκοῖο γάλακτος·

Es wird keinen Krieg mehr geben, keine Mißernte und keine Hungersnot: V. 767

καὶ τότε δὴ ἐξεγερεῖ βασιλήιον εἰς αἰῶνας
V. 769: εὐσεβέσιν, τοῖς πᾶσιν ὑπέσχετο γαῖαν ἀνοίξειν
καὶ κόσμον μακάρων τε πύλας καὶ χάρματα πάντα
καὶ νοῦν ἀθάνατον αἰώνιον εὐφροσύνην τε.

[33] Vgl. Amos 9, 13—14 und Or. Sib. III, 263 f.
[34] Zur Abhängigkeit des Horaz vom Or. Sib. vgl. u. a. R. C. KUKULA, a.a.O., S. 61. —
F. DORNSEIFF, a.a.O., S. 57 ff. — Alfons KURFESS, Horaz und die Sibyllinen. ZRGG.
8/1956, S. 253—256.
[35] A. KURFESS weist in seiner Ausgabe der Or. Sib., S. 297, Anm. auf Henoch 10, 18 f. hin.

Das Verhältnis der 4. Ekloge Vergils zur sibyllinischen Dichtung wurde schon oft erörtert und behandelt[36] und kann wohl als gesichert angenommen werden. Horaz, der, wie wir glauben, abgesehen von den wörtlichen Anlehnungen zwar in verschiedenen Einzelheiten direkt von Vergil abhängig sein dürfte, muß darüber hinaus neben anderen Quellen auch die Vorlage Vergils zur 4. Ekloge gekannt haben. Denn es finden sich bei ihm Motive, die bei Vergil fehlen, in der Vorlage jedoch vorhanden sind. So etwa in der oben zitierten Stelle der Or. Sib. die Erwähnung der Olive (V. 745) und im besonderen die in den Or. Sib. III. 761—70 vorgenommene Trennung der Frommen von den Frevlern, die bei Vergil nicht oder nur andeutungsweise in V. 13 f.: te duce, si qua manent sceleris vestigia nostri, / inrita perpetua solvent formidine terras, vorkommt. Wenn sich Horaz auf das Or. Sib. stützte[37], so haben wir möglicherweise in V. 48 der Epode eine rationale Umdeutung des V. 749 Or. Sib. vor uns[38]. Doch muß dies jedenfalls Hypothese bleiben.

Neben den motivischen Anklängen fallen jedoch zwei Besonderheiten der horazischen Schilderung ins Auge, die sich weder aus Vergil noch aus dem Or. Sib. erklären lassen. In V. 44 lesen wir „et inputata floret usque vinea". Das Motiv des blühenden Weinstockes ist relativ selten. Im Lateinischen findet es sich in der Dichtung vor Horaz nicht und in der Prosa begegnet bei Cato agr. 41, 1 in rein sachlichem Zusammenhang einmal „uva floret". Das Griechische kennt ein eigenes Wort für die Weinblüte, οἰνάνθη, das man bei Arist. Ο 588 im Zusammenhang mit der Heuschreckenplage findet und weiters in den schwierigen V. 1320 der Frösche, bei denen es sich um eine Euripidesparodie handeln dürfte[39]. Dazu wäre noch Od. 7, 126 ff. anzuführen, in denen Homer von dem für den Weinstock gefährlichen Schatten spricht. Doch fand sich im Griechischen keine Stelle in einer der Epode entsprechenden Schilderung[40]. Im Gegensatz dazu scheint der blühende Weinstock ein Motiv des frühlinghaften Gedeihens in der hebräischen Dichtung zu sein: Vgl. Salomon Asma 7, 12: ὀρθρίσωμεν εἰς ἀμπελῶνας, ἴδωμεν εἰ ἤνθησεν ἡ ἄμπελος, ἤνθησεν ὁ κυπρισμός, ἤνθησαν αἱ ῥοαί· und 2, 11—13, wo der blühende Weinstock zusammen mit dem Feigenbaum genannt wird: ὅτι ἰδοὺ ὁ χειμὼν παρῆλθεν, ὁ ὑετὸς ἀπῆλθεν, ἐπορεύθη ἑαυτῷ· τὰ ἄνθη ὤφθη ἐν τῇ γῇ, καιρὸς τῆς τομῆς ἔφθακεν, φωνὴ τῆς τρυγόνος ἠκούσθη ἐν τῇ γῇ ἡμῶν· ἡ συκῆ ἐξήνεγκεν ὀλύνθους αὐτῆς, αἱ ἄμπελοι κυπρίζουσιν, ἔδωκαν ὀσμήν. Als Metapher finden wir dieses Motiv auch Hosea 14, 6—8: ἔσομαι ὡς δρόσος τῷ Ἰσραηλ, ἀνθήσει ὡς κρίνον καὶ βαλεῖ τὰς ῥίζας αὐτοῦ ὡς ὁ Λίβανος· πορεύσονται οἱ κλάδοι αὐτοῦ, καὶ ἔσται ὡς ἐλαία κατάκαρπος, καὶ ἡ ὀσφρασία αὐτοῦ ὡς Λιβάνου· ἐπιστρέψουσι οἱ καθιοῦνται ὑπὸ τὴν σκέπην αὐτοῦ, ζήσονται καὶ μεθυσθήσονται σίτῳ· καὶ ἐξανθήσει ὡς ἄμπελος τὸ μνημόσυνον αὐτοῦ, ὡς

---

[36] G. ERDMANN, a.a.O., S. 85 ff. — A. KURFESS, Phil. Wschr. 1935, Sp. 333 f. — E. GRISET, a.a.O., S. 34. — K. BARWICK, a.a.O., S. 54 f. — A. KURFESS, Vergil und die Sibyllinen. ZRGG. 3/1951, S. 253—257. — E. BICKEL, a.a.O., 223 ff. — B. GATZ, a.a.O., S. 25 f. Anm. 56, S. 58, S. 90 ff.

[37] Doch ist auch der Einfluß anderer Quellen möglich;

[38] Siehe S. 78 f.

[39] Arist. Frösche, siehe Komm. von Radermacher, S. 322 f.; vgl. auch Pindar, Nem. 5, 7 im Vergleich (Ausg. Snell).

[40] Am ehesten vergleichbar: Ibyk. 286, 4 ff. (Poet. Mel. Graec., ed. Page.)

οἶνος Λιβάνου (und später in der Vulgata cant. 2, 13: vinea flor.) Möglicherweise liegt hier eine literarische Verbindung zu Horaz vor.

Eine zweite Besonderheit der horazischen Verse stellt „fallens" (V. 45) als Epitheton der Olive dar. Eine Parallele im Lateinischen oder Griechischen ließ sich nicht feststellen, wohl aber in der Darstellung der Verödung des Vaterlandes bei Habakuk 3, 17, die wie ein ins Negative verkehrtes Pendant zu Horazens Beschreibung anmutet[41]: ... *διότι συκῆ οὐ καρποφορήσει, καὶ οὐκ ἔσται γενήματα ἐν ταῖς ἀμπέλοις· ψεύσεται ἔργον ἐλαίας* ... Im folgenden wird vom Vieh gesprochen (vgl. Epod. 16, 48 ff.). Die Zeitwörter *ψεύδω* und „fallo" entsprechen sich in auffallender Weise. Während hier noch von der Arbeit am Ölbaum, die den Menschen enttäuscht, gesprochen wird, indirekt jedoch auch der Baum gemeint ist, der die menschliche Arbeit nicht lohnt, bezieht Horaz diese Eigenschaft, allerdings negiert, auf den Baum selbst „numquam fallentis termes olivae". Bei aller gebotenen Zurückhaltung in der Inanspruchnahme fremder Quellen für das Werk eines römischen Dichters muß über die motivische Parallele, Feige, Wein, Olive, die sprachliche Übereinstimmung in einem seltenen Ausdruck auffallen. Jedenfalls kann man keineswegs von vornherein ausschließen, daß Horaz jüdische Quellen kannte und auch benützte[42].

Im Lateinischen selbst bietet nur Lukrez in seiner Schilderung von der Kultivierung des Landes durch den Menschen 5, 1370 ff. eine mögliche Vorlage[43]:

> inque dies magis in montem succedere silvas
> cogebant infraque locum concedere cultis,
> prata lacus rivos *segetes vinetaque laeta*
> collibus et campis ut haberent, atque *olearum*
> caerula distinguens inter plaga currere posset
> per tumulos et convallis camposque profusa;

Auch hier haben wir noch eher als in der von K. Barwick herangezogenen 4. Ekloge eine mit Horaz übereinstimmende Reihenfolge der Motive, Getreide, Wein, Oliven. Doch besagt die Reihenfolge allein wegen der Häufigkeit der Motive nichts.

In V. 48 dürfte das Motiv zwar aus entsprechenden Schilderungen der Griechen stammen, sprachlich jedoch eine wirkliche Reminiszenz aus Lukrez 5, 271 f. und 6, 637 f. vorliegen[44]:

> ... inde super terras redit agmine dulci
> qua via secta semel *liquido pede* detulit undas.

---

[41] C. WEYMAN, a.a.O., S. 743, führt diese Stelle an.

[42] Auch an anderen Stellen werden jüdische Einflüsse bei Horaz geltend gemacht: vgl. zu C. I, 2, 21 z.B.: Isidor LEVY, Horace, le Deutéronome et l'Evangile de Marc. Etudes Horatiennes, Bruxelles 1927, S. 150; F. DORNSEIFF, a.a.O., S. 64 ff. widmet ein ganzes Kapitel den jüdischen Motiven in den Sermonen des Horaz. Als Parallelen für den Auswanderungsplan in der 16. Epod. führt er a.a.O., S. 58 ff. Jerm. 9, 1 (ad Epod. 16, 13), Jerm. 8, 17 und Thren. 1, 10 an.

[43] W. WIMMEL, H. 81, S. 333, weist in diesem Zusammenhang auf Lukrez 2, 1154—59 (bes. 1157) hin.

[44] W. WIMMEL, H. 89, S. 210, weist in diesem Zusammenhang noch besonders auf Theocr. 1, 7 f. hin.

Horaz ist sicher darüber hinaus auch an anderen Stellen von Lukrez beeinflußt, doch scheint die Abhängigkeit des Horaz, was die V. 43–47 in ihrer Gesamtheit betrifft, bei Walter Wimmel etwas überbetont[45].

Die hier aufgezeigte Fülle möglicher Beziehungen sollte darauf hinweisen, wie schwierig es ist, an Hand so geläufiger Motive die Priorität eines der beiden Dichter auch bei weitgehender wörtlicher Übereinstimmung zu erweisen, da selbst größere Treue der Vorlage gegenüber wegen der Möglichkeit des „doppelten Zitierens", wie Walter Wimmel eingehend dargelegt hat[46], nicht unbedingt für die Priorität des Verfassers spricht.

Doch wollen wir nach der Darlegung möglicher Quellen auf die Originalität des Horaz in diesen Versen zu sprechen kommen. Diese Originalität liegt in der eigenwilligen und für die lateinische Dichtung ungewöhnlichen sprachlichen Gestaltung der einzelnen Motive. V. 43 „reddit ubi cererem tellus inarata quotannis" erhält durch sorgfältige Wortwahl seine eigene Färbung und zwar nicht nur durch das von Horaz geschaffene Epitheton „inaratus", sondern auch durch die Wahl des Zeitwortes. In den vergleichbaren Stellen bei Hesiod (E. k. H. 117, 173, 232 und 237) lesen wir als Zeitwort φέρειν und bei Vergil Ekl. 4, 39 in genauer Entsprechung: . . . omnis feret omnia tellus. Der horazischen Form „reddit" näher steht das in Or. Sib. III 621 und 744 verwendete Verbum διδόναι aber „reddere" bedeutet mehr als nur „dare": die Erde gibt dem Menschen wieder, was sie erhalten hat. Der Gedanke an eine Aussaat wird bei Horaz demnach nicht ausgeschlossen, sondern scheint im Zeitwort mitgefaßt zu sein, im Gegensatz zu Homer Od. 9, 109, wo ausdrücklich neben ἀνήροτος das Adjektiv ἄσπαρτος tritt. In ähnlichem Sinn wie Horaz verwendet „reddere" nach ihm Ovid Pont. I 5, 26: „et sata cum multo fenore reddit ager?". Das Substantiv „ceres" als Bezeichnung für das Getreide findet sich abgesehen von den in ihrer Datierung unbestimmten Frühwerken des Vergil vor Horaz nicht. Mit seinem sakralen Beiklang scheint es für die Schilderung der unter göttlichem Schutz stehenden Seligen Inseln mit Bedacht und Sorgfalt ausgewählt. Über V. 44 und seine für die lateinische Dichtung ungewöhnliche Gestaltung wurde bereits gesprochen, ebenso über das Epitheton „fallens" in V. 45, in dem auch das Verbum „germinare", das soviel wie „knospen" bedeutet, vor Horaz nicht belegt werden kann und nach Horaz in der Dichtung erst bei Sen. Herc. fur. V. 698 vorkommt. Das Substantiv „termes" fügt sich harmonisch in die exquisite Sammlung seltener Ausdrücke in diesem Vers.

V. 46 hebt sich in seiner Bildhaftigkeit von der ganzen Schilderung reizvoll ab[47]. Das vor Horaz eher in der Prosa oder Satire gebräuchliche Wort „ficus" wird durch das Adjektiv „pullus" geadelt, das eine dunkle Färbung zwischen Rot und Schwarz bezeichnet und im allgemeinen nicht im Zusammenhang mit Früchten oder Pflanzen gebraucht wird[48]. Zur Gänze originell ist das Motiv in V. 47. Die Herkunft des

---

[45] W. Wimmel, H. 81; siehe dazu C. Becker, H. 83, S. 342 ff., der sich im einzelnen mit den Ansichten Wimmels auseinandersetzt. Siehe auch W. Wimmel. H. 89, S. 210.

[46] W. Wimmel, H. 81, S. 319 ff.

[47] Prosaischer findet sich „ornare" mit „ficus" noch in sat. II, 2, 122.

[48] Bei Terenz und Catull findet es sich an keiner Stelle, bei Plautus und Lukrez findet es sich nur als Subst.; in der Bedeutung „schwärzlich" verwendet es einmal Verg. Georg. III, 389.

Honigs war in der Antike mit wundersamen Vorstellungen verknüpft; so nahm man allgemein an, daß er als Tau vom Himmel auf Blätter und Blüten falle und dort von Bienen gesammelt werde oder zur Erde tropfe[49]. Diese phantastischen Vorstellungen prädestinierten den Honig geradezu zum Symbol wunderbarer Schilderungen jeglicher Art. „Von den Thyrsen troff des Honigs überreicher Strom" lesen wir bei Euripides Ba. 710/11. Häufig symbolisiert er zusammen mit der Milch die Fruchtbarkeit eines Landes, so etwa in jüdischen Vorstellungen[50]. Aber auch bei Euripides Ba. 142 verwandelt sich das Land unter der göttlichen Berührung des Dionysos in einen Garten wunderbarer Fruchtbarkeit: ῥεῖ δὲ γάλακτι πέδον, ῥεῖ δ'οἴνῳ, ῥεῖ δὲ μελισσᾶν νέκταρι.

Bei Vergil in der 4. Ekloge quillt der Honig wie Schweiß aus der Rinde der Eichen. Das Motiv des Horaz ist seiner ganzen Anlage nach realer und erinnert, wie bereits erwähnt[51], am ehesten an Hesiod E. k. H. V. 233; auch Horaz dürfte, wie Heinze interpretiert, an die Stöcke wilder Bienen in hohlen Eichen gedacht haben. Das klanglich schwerere „manant" bildet einen wirkungsvollen Kontrast für das in V. 48 folgende leichtfüßige, klanglich hellere „desilit", das die lebhafte Bewegtheit des Wassers vortrefflich zum Ausdruck bringt. Auf die sprachliche Abhängigkeit des Horaz in V. 48 von Lukrez 5, 272 (6, 638) wurde bereits hingewiesen. Doch gewinnt die horazische Schilderung durch das Zeitwort „desilit" und durch die poetische Bezeichnung der Quelle als „lympha" plastische Lebendigkeit[52]. An Stelle des Epitheton „liquidus" bei Lukrez tritt nun das Part. „crepans"; in origineller Weise wird das Murmeln der Quelle mit ihrem flüchtigen Lauf verbunden. So vereint Horaz Akkustik, Leichtfüßigkeit und Anmut der Quelle in einem einzigen Vers. Der Dichter hat wohl selbst die Schönheit dieses Motives erkannt und es C. III 13, in der bezaubernden Ode „O fons Bandusiae . . ." V. 15 f. noch einmal verwendet: „unde loquaces / lymphae desiliunt tuae"[53]. Die Verwendung des Verbums „crepare" in Verbindung mit dem Wasser in Epod. 16, 48 ist an sich bemerkenswert. In diesem Zusammenhang findet sich „crepare" außer an der genannten Stelle bei Horaz erst bei Augustinus doctr. christ. 3, 7, 11. Man wird sagen dürfen, daß es Horaz gelungen ist, ein traditionelles Bild trotz mannigfaltiger Einflüsse mit neuen Farben und Lichtern originell und echt römisch umzugestalten[54].

[49] RE „mel" Sp. 364 f.
[50] Vgl. S. 72, Anm. 32.
[51] Siehe S. 70; die von W. WIMMEL, H. 89, S. 216 f. aufgezeigte Beziehung zu Theokr. 8, 45 f. scheint etwas gezwungen, da es sich bei Theokrit um ein beziehungsloses Nebeneinander von Honig und Eiche handelt. — Zum Honigmotiv vgl. auch allgemein B. GATZ, a.a.O., S. 177, zur Stelle S. 186.
[52] I. TROXLER-KELLER, a.a.O., S. 86 f., weist auf die große Bedeutung des Wassers in der Dichtung des Horaz hin: „Das poetische Wort ‚lympha' ist beliebt bei den mehr idyllischen Schilderungen. Die Stimmung erinnert an die hellenistischen Bilder eines Plätzchens, das den Wanderer zum Ruhen und Genießen einlädt. Aber bei Horaz ist das Wasser dabei viel weniger dekoratives Element, sondern es wird stärker persönlich und lebendig empfunden, da ein eigenes wirkliches Wassererlebnis zugrunde liegt."
[53] TROXLER-KELLER, a.a.O., S. 89.
[54] B. KIRN, a.a.O., S. 12 und 61. — H. DREXLER, a.a.O., S. 143, der sich dieser Epode gegenüber zumeist kritisch äußert, spricht ihr jedoch die Originalität nicht ab.

Neben den in einer vielschichtigen Tradition wurzelnden[55], aber im letzten durchaus originell gestalteten Motiven der 16. Epode finden sich mehrfach wörtliche Anklänge an die bukolische Dichtung und im besonderen an die 4. Ekloge Vergils. Horaz scheint die Parallele bewußt gesucht zu haben, um trotz des zuweilen polaren Gedankenganges die Bezogenheit auf Vergils Ekloge deutlich zu machen. Denn eine geistige Auseinandersetzung mit Vergil haben wir in der 16. Epode sicher vor uns[56], wenn diese auch kaum polemischer oder ironischer Natur[57] noch auch teilweise parodischer[58] sein dürfte, dazu war der Gegenstand beider Gedichte zu ernst[59]. Auch als Genos bedarf die Epode nicht, wie vielfach gefordert wurde, unbedingt der Ironie oder Polemik[60].

Am Ende dieses Abschnittes sei noch auf eine Eigentümlichkeit im Verhältnis dieser beiden Gedichte hingewiesen, die bei einem Vergleich der 4. Ekloge mit der 16. Epode ins Auge fällt und die zur Aufhellung der Abhängigkeit beider Dichter voneinander beitragen könnte. Dichterische Darstellungen der Goldenen Zeit oder in den Grundzügen verwandte Schilderungen gab es, soweit wir sehen können, vor Vergil und Horaz in der römischen Dichtung nicht. Bei der Übernahme dieses Motives sind, wie wir gesehen haben, in der Hauptsache zweierlei Vorstellungen in den Werken der beiden augusteischen Dichter zusammengeflossen, einerseits die Vorstellung der Goldenen Zeit und der Seligen Inseln von den Griechen, andererseits die Schilderungen von Heils- und Segenszeiten aus dem Bereich orientalischer Literatur. Bei Vergil dürften die letztgenannten Einflüsse neben anderen Quellen aus den Or. Sib. stammen, aber auch bei Horaz ließen sich mit einiger Sicherheit deutliche Spuren beider Einflußsphären feststellen. Vergleicht man unter diesem Gesichtspunkt die vergilische Ekloge mit der Epode des Horaz, so fällt bei Horaz gegenüber Vergil eine gewisse Rationalisierung der Motive auf, aber auch eine größere Adaptierung fremder Vorstellungen an das römische Denken. Die Ekloge des Vergil, die sich, wenn es auch nicht deutlich ausgesprochen wird, in erster Linie auf Italien bezieht, zeigt abgesehen vom prophetischen Ton, der ganz an ähnliche Heilverkündigungen des Ostens gemahnt, noch vereinzelt klar erkennbare Züge der fremden Quelle. Mit Recht und ohne der dichterischen Phantasie Abbruch zu tun,

---

[55] Zur Vielschichtigkeit der Motivik vgl. B. Gatz, a.a.O., S. 186 f.

[56] Wegen der wörtlichen Übereinstimmungen dürfte die von W. C. Helmbold, Eclogue 4 and Epode 16. Class. Phil. 53/1958, S. 178, vorgetragene These einer unabhängigen Entstehung der beiden Gedichte auf Grund eines persönlichen Gesprächs der Dichter nicht zu halten sein. Für eine unabhängige Entstehung auf Grund einer gemeinsamen Quelle tritt auch Gino Funaioli, MB 1930, S. 58, ein.

[57] Th. Plüss, Iambenbuch, S. 112, bes. A. Kurfess, Phil. Wschr. 1935, Sp. 332 und Phil. 91, S. 417 ff., W. Wili, a.a.O., S. 32. F. Dornseiff, a.a.O., S. 60 ff.

[58] Die von R. Crahay-J. Hubaux, a.a.O., S. 471, herangezogene Stelle bei Horaz A. P. 12 f. vermag zwar etwas über den der Realität zugewandten Sinn des Dichters auszusagen ebenso wie über die von E. Dutoit beobachtete Sparsamkeit des Horaz im Gebrauch von Adynata, doch läßt sich aus ihr heraus auf keinen Fall eine gegen bestimmte Züge der Dichtung Vergils gerichtete Parodie in den V. 25—34 der Epode beweisen. Diese Verse haben eine durchaus ernste Funktion im Gesamtgefüge des Gedichtes wie auch in der geistigen nicht literarischen Auseinandersetzung mit Vergils 4. Ekloge.

[59] Zur 16. Epode vgl. Fr. Klingner, Gedanken über Horaz. Ant. 5/1929, S. 25 (Röm. Geisteswelt S. 355). H. Drexler, Lebenswirklichkeit, S. 54 und 84 f.

[60] B. Kirn, a.a.O., S. 12. J. Kroll, Studien, S. 212.

denn das Motiv stammt eindeutig aus den Or. Sib. III 791[61], könnte man mit
A. Kurfess fragen, was in der 4. Ekloge (V. 22) die Löwen zu suchen hätten[62].
Ähnlich verhält es sich mit der Erwähnung des „assyrium amomum" in V. 25. Es
wäre nun denkbar, daß Vergil durch den eigentümlichen Reiz und den Reichtum
der orientalisch beeinflußten Schilderung mehr oder minder unbewußt diese dem
römischen Lebensbereich an sich fremden Zügen beibehalten hat. Anders Horaz, er
verbannte die Löwen unter die Adynata (V. 33) und ersetzte sie an entsprechender
Stelle (V. 51) durch den Bären[63], den es zu dieser Zeit in Italien tatsächlich noch
gab und der ebenfalls wenn nicht direkt aus Jes. 11, 6—8, so aus den Or. Sib. III
790 stammt.

Darüber hinaus finden wir bei Horaz auch keine Erwähnung fremdländischer
Pflanzen, doch bereichert er die Motive des Vergil durch die Olive und die Feige,
beides Früchte süditalienischer Vegetation. Dazu kommt das Motiv des für Italien
unschätzbaren Wassers. Die phantastische Vorstellung Vergils von den honig-
schwitzenden Eichen erfährt eine rationale Umgestaltung. Betrachtet man die Epode
unter diesem Aspekt, so mutet die gesamte Schilderung wie ein Bildentwurf zu
einem fruchtbaren, von den Göttern gesegneten Italien an. Die einzigen irrationalen
Züge dieser Beschreibung sind in den Adj. „inaratus", „inputatus" (V. 43/44) und
„iniussus" (V. 49) beschlossen. Es mutet daher seltsam an, daß gerade im Zusammenhang mit Horazens 16. Epode H. Drexler zu der Ansicht gelangen konnte, es
handle sich in diesen Versen trotz einer im Vergleich zu Vergil rationaleren Gestaltung um die Beschreibung eines „Schlaraffenlandes"[64] in peiorativem Sinn. Horaz,
bei dem es möglicherweise über Vergil hinaus Verbindungsfäden zu jüdischen
Quellen gibt, hat nur jene Motive übernommen, die dem italienischen Lebensbereich
adäquat sind, und sie dem römischen Denken entsprechend gestaltet.

Das Moment einer fortgeschrittenen Aneignung fremder Elemente, wie es bei
Horaz zweifellos vorliegt, scheint jedoch eher sekundär zu sein als der umgekehrte
Vorgang, den man bei einer Abhängigkeit des Vergil von Horaz annehmen müßte[65].
Somit stoßen wir bei einer unvoreingenommenen Betrachtung beider Gedichte auf
ein merkwürdiges Phänomen. Vergil, der eine Goldene Zeit für das römische Reich
und im besonderen für Italien prophezeit, hat in seine 4. Ekloge unverkennbar
unitalische Züge eingebaut, Horaz hingegen, der von einer Preisgabe Italiens
spricht und die Seligen Inseln preist, gibt genau besehen ein Bild idealer Zustände
in Italien. „Es ist seltsam" — bemerkt A. Noyes in diesem Zusammenhang — „daß
Vergil, indem er die Möglichkeiten einer Neuordnung des Reiches ins Auge faßt,
weit darüber hinausging bis zu einer apokalyptischen Vision, während Horaz,
indem er vorschlägt, die Heimat aufzugeben, zum reinen Dichter des wirklichen
Italien und des wahren Rom wird."[66]

[61] Möglicherweise stammt dieses Motiv auch direkt aus Jes. 11, 6—8.
[62] A. KURFESS, Phil. 91, S. 415. — F. SKUTSCH, a.a.O., S. 372.
[63] F. SKUTSCH, a.a.O., S. 372. — S. SUDHAUS, a.a.O., S. 49.
[64] H. DREXLER, a.a.O., S. 144, ders., Lebenswirklichkeit, S. 31. Ebenso R. C. KUKULA,
a.a.O., S. 18. Alberto CORBELLINI, L'ironia e le ambagi del vate nell'Epodo 16 di Orazio.
Milano 1927, S. 254. H. FUCHS, GArb., S. 6, führt die, wie er sagt, über alles mögliche
hinausgehobene Fülle des Segens auf die Abhängigkeit des Horaz von verwandten Endzeitschilderungen zurück.
[65] B. GATZ, a.a.O., S. 172 f., kommt anhand des Schlangenmotivs zu einem ähnl. Ergebnis.
[66] A. NOYES, a.a.O., S. 60.

5. 16. Epode und politische Carmina des Horaz

die me tuentur, dis pietas mea
et musa cordi est.

Die polare Anlage der 16. Epode, die sich im Elend der Bürgerkriege einerseits und im Frieden der Seligen Inseln andererseits manifestiert, und die zu keiner Überwindung der Gegensätze, sondern vielmehr zu einer völligen Trennung beider Bereiche führt, sowie die Auffassung und Bedeutung des phantastischen Schluß-bildes der Epode haben manche Probleme zur Lösung aufgegeben. Die Bemühun-gen sind beinahe ebenso zahlreich wie die Vielfalt der erzielten Ergebnisse[1].

Wir wollen in unserer Auslegung einen bisher kaum begangenen Weg wählen und zunächst von den konkreten Aussagen der Epode ausgehen. Sie lassen sich am Schema einer deutlichen Dreiteilung des Gedichtes unschwer ablesen[2]. In den V.

[1] Harald Fuchs, Widerstand, S. 10 und Anm. 27; GArb., S. 5 f., vermag sich den „so wenig politisch gedachten Vorschlag des Dichters, kampflos aus Rom zu fliehen", nur aus dem Einfluß östlicher Endzeitpropheten zu erklären und sieht in ihm einerseits eine innere Befreiung von Rom, andererseits den schärfsten Ausdruck inneren Wider-standes gegen die Stadt. W. Wimmel, H. 81/1953, der sich im wesentlichen der Meinung H. Fuchs' anschließt, will die inneren Unstimmigkeiten der 16. Epode aus der Ab-hängigkeit des Horaz von Lukrez 2, 1144 ff. erklären (S. 329 ff.). Bezüglich des Schluß-bildes weist er nicht auf östliche Endzeitschilderungen hin sondern auf Lucr. 2, 1154–59 S. 333 f.). — K. Witte, Dichtk. II, 2, S. 76 und G. Schörner, a.a.O., S. 41, glauben in der utopischen Vorstellung der Seligen Inseln ein Eingeständnis des Horaz erkennen zu können, daß jede Suche nach einem Ausweg an sich Utopie sei und man das Ende resignierend erwarten müsse. — R. C. Kukula, a.a.O., S. 16 ff., Th. Plüss, Iambenbuch, S. 106 (vgl. auch S. 105), ebenso die Italiener Alberto Corbellini, L'ironia e le ambagi del vate nell'epodo XVI di Orazio, Raccolta di scritti in onore di Felice Ramorino, Milano 1927, S. 241 ff. und Gaetano Curcio, Gli epodi di Orazio, ebd. S. 333 f., ver-weisen ganz auf das Feld ironischer Parodie. Der Vorschlag des Dichters sei unrömisch — so Th. Plüß — und eines Römers unwürdig, die Verheißung eines einfachen Hirten-lebens könne nur Heiterkeit auslösen. Siehe auch A. Kurfess, Phil. Wschr. 1935, Sp. 332 und R. Syme, Sallust, S. 284 f. — E. Griset, a.a.O., S. 41, sieht in dem poetischen Bild der Seligen Inseln den Ausdruck eines Wunsches nach Tugend und Frieden. Ähnlich beurteilt A. Noyes, a.a.O., S. 55, Horaz als jungen Idealisten, der nach dem Zusammen-bruch seiner Hoffnungen und Träume ihre Verwirklichung außerhalb Italiens in einer anderen Welt sucht. — Hans Oppermann, Horaz, Dichtung und Staat. Neues Bild der Antike II, S. 277 f., spricht von einer utopischen Lösung. Ed. Fraenkel, a.a.O., S. 47, sieht in dem Auswanderungsplan zwar „a poetic fantasy" mit der sich Horaz jedoch nicht begnügte, sondern sie vor einen scheinbar realpolitischen Hintergrund stellte. B. Gatz, a.a.O., S. 186. — Jürgen Kroymann, Römisches Sendungs- und Niedergangsbewußtsein. Eranion, S. 86, gelangt zu dem Schluß, der Dichter habe den Vorschlag gar nicht ernst gemeint, sondern wollte vielmehr dazu auffordern, die Heimat jetzt umso weniger im Stich zu lassen. Zu einer symbolischen Deutung, die noch näher auszuführen sein wird, gelangen im Anschluß an Fr. Klingner, Ant. 5, S. 26 (Römische Geisteswelt S. 355), H. Drexler, a.a.O., S. 144 ff., ders., Lebenswirklichkeit, S. 31 ff., K. Büchner, Jber., S. 162, K. Barwick, a.a.O., S. 63, V. Pöschl, Horaz und die Politik, S. 18, C. Becker, H. 83, S. 349.

[2] Siehe S. 55.

1—14 spricht Horaz von den Bürgerkriegen, ihren Auswirkungen und endgültigen Folgen. Man würde diesen Abschnitt vorerst als Skizze des politischen Hintergrundes bezeichnen, aber zugleich auch als Ausgangspunkt und Problemstellung der Epode, die im allgemeinen „politisch" genannt wird. In den V. 15—40 folgen jedoch nicht, wie erwartet, Ermahnungen oder Vorschläge zur Besserung der bestehenden Verhältnisse, sondern als einzige und letzte Möglichkeit eines Ausweges die Preisgabe Roms und damit verbunden die Auswanderung aus Italien. Dieser Vorschlag des Dichters ist im höchsten Grad befremdend und kann keinesfalls als eine politische Lösung eines politischen Problems bezeichnet werden, wie es die ersten Verse aufzuwerfen scheinen. Doch das Befremden wächst, wenn man im letzten Teil der Epode (V. 41—66) als Ziel dieser Auswanderung die ins Irreale, Phantastische weisende Verheißung der Seligen Inseln findet.

Als Grundlage dieser Untersuchung mag das lyrische Werk des Horaz in seiner Gesamtheit dienen, das, auf ähnliche Darstellungen hin geprüft, eine Deutung der 16. Epode ermöglichen soll. Das Motiv der Bürgerkriege nimmt auch in der 1. Odensammlung einen spezifischen Platz ein. Nach Richard Heinze ist C. III 24 „wohl ein erster Versuch, die ernste Stimmung der 7. und 16. Epode in Liedform neu anklingen zu lassen"[3], wenn man diese Ode auch im eigentlichen Sinn nicht politisch nennen kann, weil vielfach ethische Motive aus der Satirendichtung anklingen. Doch finden wir in den V. 25—32 folgende Darstellung:

> o quisquis volet *inpias*
> *caedis* et *rabiem tollere civicam,*
> si quaeret pater urbium
> subscribi statuis, *indomitam* audeat
>
> refrenare *licentiam,*
> clarus postgenitis, quatenus, heu *nefas,*
> *virtutem* incolumem odimus,
> sublatam ex oculis quaerimus invidi.

Die erste Strophe behandelt das Thema der Bürgerkriege und die Möglichkeit ihrer Beendigung. Der Dichter beschränkt sich auf eine bloße Erwähnung der politischen Krise Roms, verleiht ihr jedoch mit wenigen Worten eine bestimmte Färbung, die man weder politisch noch historisch nennen kann. Der Bürgerkrieg wird einerseits als „inpiae caedes" bezeichnet, andererseits als „rabies", ein Begriff, der dem Bereich menschlicher Hybris entstammt. Als Grund dieser inneren Kriege wird der Mangel an ethischen Werten, zusammengefaßt in dem Begriff der „indomita licentia"[4], angesehen, ein Gedanke, der in den folgenden Strophen weiter ausgeführt wird. Im Vordergrund steht demzufolge kein historisch-politischer Aspekt, sondern ein ethisch-sakraler, der sich einerseits an der Charakterisierung der Bürgerkriege als „impium factum" abzeichnet, andererseits am Mangel ethischer Werte demon-

---

[3] Die Stellen sind, soweit dies möglich war, chronologisch angeordnet, wobei auf Datierungsprobleme im einzelnen nicht eingegangen werden kann.

[4] „licentia" ist ein primär politischer Begriff, muß jedoch in dem vorliegenden Zusammenhang eher im ethischem Sinn verstanden werden. Zur Bed. v. „licentia" vgl. auch H. OPPERMANN, a.a.O., S. 280. — J. HELLEGOUARC'H, a.a.O., S. 558 ff.

striert wird[5]. Als polare Komponente finden wir in V. 31 den Begriff der „virtus",
die per nefas von der Gegenwart verkannt wird. Bemerkenswert ist nun, daß auch
die „melior pars" in Epode 16 „virtus" (V. 39) im besonderen ihr eigen nennt.
Als weiteres Beispiel für die besprochene Thematik bietet sich C. I 2, 21 ff. an[6]:

> audiet civis acuisse ferrum,
> quo graves Persae melius perirent,
> audiet pugnas *vitio parentum*
> rara iuventus.

> V. 29   cui dabit partis *scelus expiandi*
>   Iuppiter?

Wir können unmittelbar an vorangegangene Beobachtungen anknüpfen. Auch
hier geht es nicht um die Feststellung historischer oder politischer Fakten, sondern
um die Darstellung der Bürgerkriege als Akte der „impietas", wie sich in V. 23 f.
„vitio parentum rara iuventus" ankündigt und aus dem Begriff „scelus" V. 29
eindeutig hervorgeht[7]. Um dieser Krisensituation zu begegnen, werden vorerst keine
politischen Maßnahmen erwogen, sondern Horaz spricht von „expiare", von Sühnung, die sich allein mit dem Einverständnis der Gottheit verwirklichen läßt.
Wieder verweist der Dichter auf eine sakrale Ebene. Als Inbegriff höchster, göttlicher Macht wird Juppiter genannt, der auch den letzten Abschnitt der 16. Epode
entscheidend bestimmt. Auf seine Funktion werden wir noch zu sprechen kommen.

Die Betrachtung der folgenden Stellen führt zu ähnlichen Ergebnissen. C. II 1
bringt als Widmung an Pollio zugleich die Ankündigung seines Geschichtswerkes
über die Bürgerkriege. Das Motiv der „impietas" steht, in dem Bild des noch unge-
sühnten Blutes (V. 5) eingefangen, mit Betonung gleich in der Einleitung als
schwerstes Glied einer längeren Aufzählung: „... et arma / nondum expiatis[8]
uncta cruoribus"[9]. Es folgt in den V. 17—28 ein Inhaltsentwurf des Werkes, der
einerseits seinen notwendig kriegerischen Aspekt zum Ausdruck bringt, andererseits
durch die Nennung konkreter Namen eine historische Färbung erhält. Bis hierher
hat der Dichter von einer persönlichen Stellungnahme zum Stoff des angekündigten
Werkes Abstand genommen, wenn man von einzelnen Anklängen in der Einleitung
absehen will. Mit V. 29 tritt in Form einer Klage über die Greuel der Bürgerkriege
das persönliche Gefühl des Dichters unmittelbar in den Vordergrund. Der Beginn
erinnert sogleich an Epod. 7, 3 f. Von besonderem Gewicht ist jedoch der Umstand,
daß nunmehr der historische Aspekt wieder dem sakralen weicht, in V. 30 lesen
wir *„inpia* proelia" in einer schmerzlichen Frage, die in den folgenden Versen
variiert wiederkehrt[10].

---

[5] F. KLINGNER, Ant. 5, S. 36 f. (Römische Geisteswelt, S. 369 f.).
[6] Ed. FRAENKEL, a.a.O., S. 250 f., weist auf mehrfache Anklänge an verschiedene Motive
  der politischen Epoden in den frühen Oden hin. Auch hier erhebt sich der Dichter wie
  in Epode 16 zum Sprecher des gesamten Volkes.
[7] Vgl. S. 10 und Anm. 7.   [8] Vgl. C. I 2, 29.   [9] Vgl. zu V. 2 „vitia". C. I 2, 23.
[10] V. 32 Hesperiae sonitum ruinae, vgl. Epod. 16, 2 und C. I 2, 25.

Zum Abschluß sei noch auf C. I 35, 33 ff. verwiesen:

> heu heu cicatricum et *sceleris* pudet
> *fratrum*que. quid nos dura refugimus
> 　　aetas? quid intactum *nefasti*
> 　　liquimus? unde manum iuventus
>
> *metu deorum* continuit? quibus
> 　pepercit *aris?*

Mit eindringlicher Klarheit tritt uns hier das impietas-Motiv entgegen. Horaz spricht von dem „scelus fraternum", das an die 7. Epode gemahnt, er nennt die Römer „nefasti", die jeder Gottesfurcht entbehren und selbst Altäre nicht verschonen. Der Ausdruck „metus deorum" scheint hier wirkungsvoll für das schwächere „pietas" einzutreten. In gedrängter Form stellt diese Ode alle charakteristischen Züge der horazischen Bürgerkriegsschilderungen vor Augen, das Fehlen historisch-politischer Realitäten, die Kürze der Darstellung und ihr besonderes Gepräge durch den sakralen Aspekt der „impietas".

Zusammenfassend könnte man sagen, daß Horaz die Bürgerkriege nicht in erster Linie als Ausdruck einer bestimmten historisch-politischen Situation ansieht, sondern als ein Signum menschlicher „impietas" im politischen Bereich[11]. Kehren wir nunmehr zu Epode 16, 1–14 zurück. Dieser Abschnitt, der sich gegenüber den anderen beiden durch Kürze auszeichnet, befaßt sich mit den politischen Gegebenheiten zur Abfassungszeit der Epode. Bei genauer Betrachtung bieten die genannten Verse, abgesehen von der bloßen Erwähnung der politischen Lage in den Versen 1/2, die eine Art Exposition darstellen, keine realen Fakten aus den Geschehnissen der Bürgerkriege. Einen breiten Raum von 6 Versen nimmt hingegen die Aufzählung einer Reihe äußerer Feinde Roms ein, denen eine Eroberung der Stadt in der Vergangenheit nicht gelungen war. Es folgen in weiteren 6 Versen die Auswirkungen der Bürgerkriege in der Zukunft. Aber statt konkreter Vorgänge finden wir gleichsam als Symbol eines chaotischen Endzustandes Bilder aus der antiken Topik. Es scheint dem Dichter nicht um die Darstellung realer Einzelheiten unter historischem Aspekt zu gehen, sondern um die Erkenntnis, daß eine aktive Teilnahme an dem politischen Leben dieser Zeit mit dem Verlust der „pietas" verbunden sei[12]. Damit wird jedoch weitgehend die Gleichsetzung dieser politischen Realität mit dem sakralen Bereich der „impietas" vollzogen. Auch der erste Abschnitt der 16. Epode bewegt sich demnach nicht auf politisch-historischer, sondern auf sakraler Ebene. Bei einem Vergleich mit den vorher besprochenen lyrischen Stellen derselben Thematik finden wir deren charakteristische Grundzüge bereits in diesem frühen Gedicht angelegt: relative Kürze der Darstellung, Mangel an historischer Realität und Dominieren des sakralen Aspekts. Die Beurteilung der Bürgerkriege, wie sie in der 7. und 16. Epode auftritt, hat sich in ihrer spezifischen Struktur nie

---

[11] Vgl. auch C. III 6. Dort wird die „impietas" als Grund aller Leiden angesehen, wobei der Ausdruck „delicta maiorum" (V. 1) weitergefaßt erscheint und auf ethisch-soziale Ebene weist. Die Bürgerkriege werden nur kurz V. 13 genannt.
[12] Siehe S. 27.

geändert, wobei das Schwergewicht der Problematik für Horaz eben nicht in politisch-historischen, sondern in sakralen Bereichen liegt.

Indem wir den zweiten Abschnitt der Epode zunächst übergehen, wenden wir uns dem Schlußbild des Gedichtes zu. Es erhebt sich sogleich die Frage, welche Bedeutung dieser Vorstellung zukommt, die Horaz kontrastierend den Anfangsversen gegenüberstellt, ob man sich unter den Seligen Inseln ein mit irrealen Zügen ausgestattetes Land außerhalb des von Kriegswirren heimgesuchten Italien vorzustellen hat[13], oder ein in den Räumen der Utopie angesiedeltes „Schlaraffenland", phantastische Ausgeburt einer poetischen Schwärmerei ohne tiefere Bedeutung, ob man die Schilderung als Ironie, geboren aus dem Pessimismus einer hoffnungslosen Zeit, verstehen soll[14], oder ob sich hinter ihrer Vordergründigkeit andere Vorstellungen des Dichters verbergen. Unserer Methode folgend, wenden wir uns zunächst der Odendichtung des Horaz zu, ob sie uns ähnliche Schilderungen bieten, deren Bedeutung wir in einer Motivkette eher als am isolierten Gedicht erkennen können. Die einzelnen Stellen sollen wegen vielfacher Datierungsschwierigkeiten, auf die hier nicht eingegangen werden kann, nicht chronologisch, sondern ihrer Thematik nach angeordnet werden. C. II 19 ist, wie Heinze schreibt, „kein allgemeingültiges, religiöses Lied, sondern ein stark persönliches Bekenntnis des Dichters, der sich bewußt ist, ein βάκχος, kein bloßer θυρσοφόρος zu sein und der zugleich in dem Vollgefühl der Macht schwelgt, die solche göttliche Begnadung dem Inspirierten verleiht". Somit führt uns das Gedicht mitten in den Dichterbereich des Horaz. Für unsere Betrachtung sind vor allem die V. 9 ff. von Bedeutung:

> *fas* pervicacis est mihi Thyiadas
> vinique fontem lactis et uberes
>   cantare rivos atque *truncis*
>   *lapsa cavis iterare mella*

Zwei Elemente dieser Strophe seien im besonderen hervorgehoben, einerseits die Symbolisierung der göttlichen Anwesenheit durch wunderbare Fruchtbarkeit in der Natur, ein Motiv, das in seinen Einzelheiten weitgehend aus den Bacchen des Euripides stammt[15]. Umso bemerkenswerter ist es, daß nach der Aufzählung von Wein und Milch das Honigmotiv gegenüber Euripides nicht nur abgewandelt, sondern geradezu aus Epod. 16, 17 übernommen scheint. Die Vorstellung ist, bis auf kleine Änderungen in der Diktion, dieselbe, der Honig quillt aus hohlen Stämmen, eine speziell horazische Gestaltung[16], die sich bei Euripides nicht findet. Andererseits wird durch zweimaliges „fas" zu Beginn dieser und der nächsten Strophe die berechtigte Anteilnahme des Dichters an der Nähe der Gottheit ausgedrückt. Dichter- und Götterbereich scheinen ineinander überzugehen. Denselben Gedanken spricht Horaz in der späten Ode I 1, 29 aus: „me doctarum hederae praemia frontium / dis miscent superis". Zugleich wird dort mit der Nähe der Götter die Abgeschiedenheit des Dichters von der menschlichen Welt, soweit sie ihm als anonyme Masse entgegentritt, verbunden (V. 30 ff.)[17,18]:

---

[13] A. Noyes, a.a.O., S. 55.   [14] Vgl. im einzelnen S. 80, Anm. 1.   [15] Siehe S. 77.
[16] Siehe S. 77.   [17] Irene Troxler-Keller, a.a.O., S. 93 (vgl. C. II, 19).
[18] C. Eckert, O et praesidium dulce decus meum. W. S. 74/1961, S. 62 f.

>... me gelidum nemus
>Nympharumque leves cum Satyris chori
>*secernunt* populo,

eine Eigentümlichkeit des Dichterbereiches, die durch göttlichen Willen auch den Seligen Inseln eigen ist[19] und die in Epode 16 durch dasselbe Zeitwort ausgedrückt wird: Iuppiter illa piae *secrevit* litora genti.

Besondere Beachtung verdient im Rahmen unserer Untersuchung das an Motiven reiche Musengedicht III 4, dessen Problematik im einzelnen uns hier nicht beschäftigen soll. Mit Sicherheit kann man sagen, daß auch im ersten Teil dieser Ode die göttliche Auserwähltheit des Dichters betont und zunächst durch ein Kindheitserlebnis in märchenhafter Weise symbolisiert wird. Die Frage nach dem Realitätsgehalt dieser Erzählung mag auf sich beruhen, wir wollen nur ein Detail aus dieser Schilderung herausgreifen und gesondert betrachten:

>V. 17 f.   ut tuto ab atris corpore viperis
>dormirem et ursis.

Die Vorstellung, daß die Gewogenheit der Götter besonderen Schutz gewähre, wird hier unter anderem an einem Motiv aus der Schilderung der Seligen Inseln in Epod. 16, 51/52 demonstriert. Wie hier in der Ode der Knabe vor Schlangen und Bären sicher schläft, so bedroht in der 16. Epode kein Bär die Herde und die Erde ist nicht schlangenträchtig[20]. Das seltene Vorkommen dieser Tiere in der Lyrik des Horaz[21] und die Verknüpfung von Bär und Schlange, die auf die beiden zitierten Stellen beschränkt ist, würden dafür sprechen, daß die Wiederaufnahme desselben Motives nicht Zufall ist. Das Motiv des göttlichen Schutzes, den Horaz unter Führung der Musen genießt, wird in den nächsten Strophen noch weiter ausgesponnen und an persönlichen Erlebnissen des Dichters dargelegt. Ähnlich wie in Epod. 16, 57 ff. wird hier, allerdings auf die Person des Dichters beschränkt, seine Unantastbarkeit durch Krieg (V. 26 f.), Schiffahrt (V. 27 ff.) und andere Gefährdungen betont. In diesen und den nächsten Versen „ist das Drohende, Vernichtende, das vorher in Schlange und Bär hervorgetreten ist, ohne doch wirklich schrecken zu können, in näheren, erschütternden Gestalten gegenwärtig gemacht, aber nur, um die Geborgenheit des Dichters um so höher preisen zu helfen"[22].

Betrachtet man den eigentümlich weiten Bewegungsbogen vom Ernst der ersten Strophe bis zur sorglos verliebten Heiterkeit der letzten Verse, ist es schwer zu entscheiden, ob nicht auch der Anfang der Ode I 22 eher heiter als ernst zu verstehen ist. Dennoch sei er hier wegen des Auftretens eines neuen Gedankens zitiert, der in anderen Gedichten in ernstem Zusammenhang wiederkehrt:

---

[19] Zum Motiv der Theoxenie vgl. B. GATZ, a.a.O., S. 61.

[20] Daß die Sicherheit vor den genannten Tieren hier auf die Person des Dichters beschränkt ist, während sie in Epod. 16 die Gesamtheit der Seligen Inseln betrifft, ist nicht von großer Bedeutung, denn, wie wir in C. I, 17 sehen werden, dehnt sich dieser dem Dichter persönlich gewährte Schutz auch auf seinen Lebensbereich aus.

[21] „serpens" findet sich bei Horaz häufiger, aber in keiner entsprechenden Stelle, „vipera" findet sich nur hier und in Epod. 16, „colubra" in einer ähnlichen Schilderung in C. I, 17 (siehe S. 87), „ursus" kommt in der Lyrik des Horaz nur hier und in Epod. 16 vor.

[22] Fr. KLINGNER, Horazens Musengedicht, Röm. Geisteswelt, 1961[4], S. 385.

Integer vitae *scelerisque purus*
non eget Mauris iaculis neque arcu
nec venenatis gravida sagittis,
        Fusce, pharetra.

Wer frei von Schuld ist — der Ausdruck „sceleris purus" verkörpert geradezu den
negierten Bereich der „impietas" — bedarf keiner Waffe, denn ihm vermögen weder
wilde Tiere noch Unbilden der Natur ein Leid zuzufügen. Die Motive besonders
in V. 9 ff.:

namque me silva lupus in Sabina,
dum meam canto Lalagen et ultra
terminum curis vagor expeditis,
        fugit inermem,

erinnern an C. III 4. An der Spitze des Gedichtes steht die Vorstellung, daß der
Besitz von „pietas" vor jeglichen Gefahren schütze. Freilich setzt die in den bereits
zitierten Odenstellen erwähnte nahe Beziehung des Dichters zu den Göttern den
Besitz der „pietas" voraus, doch ausgesprochen wurde dieser Gedanke dort nicht.
Das „pietas"-Motiv findet sich auch hier nicht gänzlich isoliert vom dichterischen
Bereich, der in V. 10 „dum meam canto Lalagen" anklingt[23]. Wir wollen aus der
besprochenen Ode das „pietas"-Motiv herausgreifen und uns dem C. III 23 zuwenden. Hier begegnet derselbe Gedanke isoliert vom Dichtertum des Horaz im Leben
einer einfachen Bäuerin.

V. 1 ff.   Caelo supinas si tuleris manus
            nascente Luna, rustica Phidyle,
                si ture placaris et horna
                    fruge Lares avidaque porca,

nec pestilentem sentiet Africum
fecunda vitis nec sterilem seges
    robiginem aut dulces alumni
        pomifero grave tempus anno.

Die in einem bescheidenen Opfer sich offenbarende „pietas" der Phidyle stellt sie
unter den besonderen Schutz der Götter. Die V. 5—8 erinnern an die V. 53—56 +
61/62 der Epode: die Ernte bleibt von Unwetterschäden verschont (bes. C. III 23, 5
und Epod. 16, 53—55) und das Vieh hat nicht unter der sengenden Hitze zu leiden
(C. III 23 7/8 und Epod. 16, 61/62). Das „pietas"-Motiv klingt besonders deutlich
in den Schlußversen der Ode an:

V. 17—20   *inmunis* aram si tetigit manus
            non sumptuosa blandior hostia
                mollivit aversos Penatis
                    farre *pio* et saliente mica.

---

[23] Siehe Heinze; diese Verbindung ist von Bedeutung, vgl. Orpheus-Mythos.

Nicht nur dichterische Berufung, sondern auch eine reine „pietas" stellt den Menschen unter den Schutz der Götter. Im nun folgenden Beispiel finden wir beide Vorstellungen eng miteinander verbunden:

C. I 17, 1 ff: Velox amoenum saepe Lucretilem
mutat Lycaeo Faunus et igneam
defendit aestatem capellis
usque meis pluviosque ventos.

inpune *tutum* per nemus arbutos
quaerunt latentis et thyma deviae
olentis uxores mariti
nec *viridis metuunt colubras*

nec Martialis haediliae *lupos,*
utcumque dulci, Tyndari, fistula
valles et Usticae cubantis
levia personuere saxa.

di me tuentur, dis pietas mea
et musa cordi est. hic tibi copia
manabit ad plenum *benigno*
ruris honorum opulenta cornu.

hic in reducta valle caniculae
vitabis aestus et fide . . .[24]

Horaz spricht von seinem kleinen Sabinergut, das unter der Obhut des Gottes Faunus steht. Diese äußert sich in der Sicherheit seiner Herde vor schädlichen Witterungseinflüssen (vgl. Epod. 16, 61/62) und vor gefährlichen Tieren, wie den Schlangen[25] (vgl. Epod. 16, 52) und dem Wolf, der hier an Stelle des Bären tritt[26]. Seine „pietas" und seine Dichtkunst bringen Horaz das Wohlwollen der Götter ein. Dieser Gedanke ist auch formal ins Zentrum der Ode gerückt. Wie dem Dichter so wird seinem Gast — hier ist es das Mädchen Tyndaris — die Geborgenheit und der Segen ländlicher Fruchtbarkeit zuteil, wobei das Zeitwort „manare" (vgl. Epod. 16, 47) die Fülle und das Adjektiv „benignus" die Freiwilligkeit dieser Spenden (vgl. Epod. 16, 43 f.) ausdrückt[27]. Unberührt ist der ländliche Friede von rohem

---

[24] Wie Fr. KLINGNER zu dieser Ode, Studien S. 319, ausführt, beginnt mit Strophe 4 eine Art Wiederholung der ersten drei Strophen, mit dem Unterschied, daß nun der Mensch in die Landschaft tritt. In V. 17 erwähnt der Dichter die geschützte Lage des Tales vor dem Sonnenbrand und hier begegnet wie in Epod. 16, 61 die Erwähnung des Hundssternes.

[25] Vgl. C. III, 4, 17 „tutus".

[26] Vgl. C. I, 22 und besonders C. III, 18, 13 „inter audacis lupus errat agnos", wo die Sicherheit der Schafe vor dem Wolf auch als Folge frommer Opfer und Götterverehrung dargestellt wird.

[27] I. TROXLER-KELLER, a.a.O., S. 115, weist darauf hin, daß das Füllhorn selbst ein Motiv des goldenen Zeitalters sei. In C. S. 59 f. wird es zum Zeichen der Wiederkehr jener alten goldenen Friedenszeit.

Streit und Krieg, der in V. 23 mit dem Namen des Mars wenigstens anklingt[28]. Wir
haben den ganzen Lebens- und Dichterbereich des Horaz vor uns[29], verkörpert in
einer fruchtbaren und von Gefahren unberührten Landschaft, die in auffallender
Weise an Epod. 16 erinnert. Auch hier erhält die Schilderung wie in der Epode,
wenn auch in geringerem Ausmaß, durch irreale Züge ihr besonderes Gepräge, das
die Ode I 17 von den eher bescheidenen übrigen Schilderungen des Sabinums deutlich abhebt[30]. Geborgenheit und Fruchtbarkeit des Landes haben ihren Grund eben
nicht in den realen Gegebenheiten, sondern in der Gewogenheit der Götter, die der
Dichter und der durch „pietas" ausgezeichnete Mensch Horaz genießt. Zum Abschluß sei noch als besonderes Beispiel C. II 6 angeführt:

> V. 5 ff. Tibur Argeo positum colono
> sit meae sedes utinam senectae,
> *sit modus lasso maris et viarum*
> *militiaeque.*
>
> unde si Parcae prohibent iniquae,
> dulce pellitis ovibus Galaesi
> flumen et regnata petam Laconi
> rura Phalantho.
>
> ille terrarum mihi praeter omnis
> angulus ridet, *ubi non Hymetto*
> *mella decedunt viridique certat*
> *baca Venafro,*
>
> *ver ubi longum* tepidasque praebet
> *Iuppiter* brumas et amicus Aulon
> *fertili Baccho* minimum Falernis
> invidet *uvis.*
>
> ille te mecum locus et *beatae*
> postulat *arces;* ibi tu calentem
> debita sparges lacrima favillam
> *vatis amici.*

In dieser Ode trifft Horaz die Wahl eines Wohnsitzes für sein Alter. Zunächst
wird kurz Tibur genannt[31], dann aber fällt alles Licht auf Tarent. In den V. 13 ff.
wird die Fruchtbarkeit seiner Umgebung durch drei Motive ausgedrückt, die sich
auch in der 16. Epode finden, durch Honig, Ölbaum und Wein, wobei zwar irreale
Züge fehlen, der aktive Charakter der einzelnen Motive jedoch an Epod. 16 erin-

---

[28] Die V. 22 f. sind in ihrer Deutung unklar (vgl. Heinze). Fr. KLINGNER, Studien, S. 320,
sieht in ihnen „drohende Vorstellungen und Worte, die zunächst nur drohen ohne zu
verraten". Diese Drohung nimmt erst in der Schlußstrophe in der Gestalt des rohen
Liebhabers der Tyndaris konkrete Form an.

[29] I. TROXLER-KELLER, a.a.O., S. 39, weist auf die enge Beziehung dieser beiden Bereiche hin.

[30] I. TROXLER-KELLER, a.a.O., S. 114.

[31] Die Liebe des Dichters zu Tibur bringt besonders C. I 7, 10 ff., zum Ausdruck: me nec
tam patiens Lacedaemon / nec tam Larisae percussit campus opimae / quam domus
Albuneae resonantis / et praeceps Anio ac Tiburni lucus et uda / mobilibus pomaria rivis.

nert[32]. In der Bezeichnung des unbekannten Ortes Aulon (V. 18) als „amicus fertili Baccho" bringt der Dichter wieder die Gotterfülltheit der fruchtbaren Landschaft zum Ausdruck. Wie den Seligen Inseln so gewährt Juppiter dieser Gegend ein mildes Klima, wobei die Worte „ver longum" wie ein Zug aus dem Goldenen Zeitalter anmuten[33]. Es wird ein Wohnsitz sein, der das Ende von gefährlicher Schiffahrt und Krieg für Horaz bedeutet, was zwar im Zusammenhang mit Tibur V. 7 ff. gesagt wird, aber sicher ebenso auf Tarent zutrifft. Ähnlich wie in C. I 17 wird hier ein anderer Mensch, des Dichters junger Freund Septimius, in den Daseinsbereich des Horaz mit einbezogen. Daß dieser Bereich nicht nur Daseins- sondern zugleich Dichterbereich ist, drückt das wie in Epod. 16 an das Ende gerückte „vates" aus. Der futurische Charakter des Gedichtes, durch den diese Ode eine Sonderstellung im Werk des Dichters einnimmt[34], erinnert darüber hinaus an die Verheißungen der Seligen Inseln in der Epode. Der bemerkenswerteste Zug der Ode ist jedoch, daß der letzte Sitz des Dichters mit „arces beatae" (V. 21/22) bezeichnet wird. Es mutet wie eine Ansiedlung des irrealen Bezirkes der „arva beata" (Epod. 16, V. 41) in der Realität an, wobei das Wort „arx" Abgeschiedenheit und Sicherheit zum Ausdruck bringt. Damit hätte sich gewissermaßen der Ring geschlossen.

Doch fassen wir zunächst zusammen. Der hier an Hand verschiedener Stellen dargelegte Dichter- und Lebensbereich des Horaz trägt ganz bestimmte Züge. Er steht einmal unter dem besonderen Schutz der Götter oder hat selbst Anteil an göttlichen Bereichen (C. II 19, I 1, III 4, I 17, II 6) und zeichnet sich durch Abgeschiedenheit von der übrigen Welt der Menschen aus (C. I 1). Nähe und Schutz der Gottheit manifestieren sich in einer zuweilen idealen Fruchtbarkeit der Natur (C. II 19, I 17, II 6) und in der Unberührtheit des Dichters und seiner Welt von schädlichen Einflüssen, sei es durch das Klima, durch wilde Tiere, Krieg oder Schiffahrt (C. III 4, I 22, I 17, II 6). Das Wohlwollen der Götter setzt den Besitz der „pietas" und die „musa" des Dichters voraus (I 22, I 17). Einmal spricht Horaz davon, daß auch ein einfaches Leben unter dem Zeichen der „pietas" den besonderen Schutz der Götter nach sich ziehe, der sich im fruchtbaren Gedeihen von Land und Vieh äußert (C. III 23). Somit vermögen auch andere Menschen dem Ruf des Dichters folgend an dieser Welt des Friedens und der Reinheit Anteil zu nehmen (C. I 17, II 6), an einer Welt, die in ihrer Grundstruktur sakral ist. Sie trägt häufig irreale Züge, die sich allmählich verlieren, je mehr dieser Bereich in der Realität eine Verankerung findet (C. II 6).

Kehren wir nunmehr zum Schlußbild der 16. Epode zurück. Auch die Seligen Inseln stehen unter der Obhut der Götter im allgemeinen (V. 56) und unter dem Schutz Juppiters im besonderen (vgl. C. II 6), der sie von der übrigen Welt geschieden hat. Diese Inseln zeichnen sich durch Fruchtbarkeit der Natur aus und sind unberührt von Witterungsschäden, frei von Gefährdung durch wilde Tiere und unerreichbar für Krieg und Schiffahrt, die den Bereich der „impietas" symbolisieren. Juppiter hat sie einer „pia gens" vorbehalten, die mit der „melior pars civitatis" gleichgesetzt wird. Dieser „melior pars" eignet einerseits „virtus"[35], andererseits der

---

[32] Motivisch und sprachlich erinnert II 6, 15 f., besonders an Epod. 2, 20.
[33] I. TROXLER-KELLER, a.a.O., S. 123.   [34] I. TROXLER-KELLER, a.a.O., S. 124.
[35] Siehe S. 43 ff.

Wille sich von den „mali labores"[36] der Bürgerkriege, dem Inbegriff der „impietas" schlechthin, zu befreien, um ihre eigene „pietas" zu wahren. Unter Führung des Dichters wird ihr ein Fluchtweg zu den Seligen Inseln eröffnet.

Die Parallelen, abgesehen von wörtlichen Anklängen, sind vielfältig und offenkundig. Man wird daher rückschließend sagen können, daß die Seligen Inseln ein Symbol dieses friedlichen Lebens- und Dichterbereiches sind. Durch ihre Nähe zu den Göttern und der menschlichen „pietas" vorbehalten, verkörpern sie viel mehr eine ideale, sakrale, als eine reale, materielle Welt. Ihr gegenüber steht die durch impietas gekennzeichnete politische Welt, die sich in dem von Bürgerkriegen heimgesuchten Rom der V. 1—14 manifestiert. Eine Synthese der beiden in der Epode dargestellten Bereiche kann es nach Anschauung des Dichters in dieser Zeit nicht geben. Die bedingungslose Trennung beider Bezirke kommt im Mittelteil des Gedichtes, im Auswanderungsplan, zum Ausdruck, der durch die Ablegung eines feierlichen Schwures (V. 25 ff.) göttliche Sanktionierung erfährt. Der den besprochenen Abschnitten des Gedichtes eigene Symbolcharakter sowie der ihnen gemeinsame sakrale Aspekt legen nahe, daß auch der Vorschlag einer Preisgabe Roms in Gestalt einer Auswanderung ebensowenig wie deren Ziel, die Seligen Inseln, räumlich real, sondern viel eher symbolisch sakral als Abkehr vom politischen Leben aufzufassen sei. Otto Seel meint zu dem Problem des Realitäts- und Symbolgehaltes der horazischen Dichtung: „Autonomie und innere Wahrheit der Dichtung beruhen so vollkommen auf sich selbst, daß äußeres Erlebnis dazu in gar keiner festen Korrelation steht; der Dichter verfügt über Empirie, Metaphorik und Symbolik grundsätzlich mit voller Souveränität; seelische Erfahrung kann transponiert und extrapoliert werden in eine Realität, die ‚sich nie und nirgends hat begeben' und nur dichterisch existiert; sie kann ebensogut ein andermal die erforderliche Realität auch wirklich vorfinden und sich ihrer dann ungescheut bedienen als eines gültigen Gleichnisses"[37]. Tatsächlich hat die symbolhafte Vorstellung der Seligen Inseln im späteren Leben des Dichters weitgehend ihre Bestätigung in der Realität gefunden.

Fassen wir die Ergebnisse unserer Untersuchung zusammen, so findet die Ansicht Fr. Klingners, daß es Horaz in Wirklichkeit gar nicht um eine räumlich gedachte Auswanderung gehe, volle Bestätigung. Die Epode soll vielmehr ein Aufruf an die Besten des Volkes sein, mit dem Dichter „reine Bezirke des Lebens aufzusuchen"[38]. Daß diese reinen Bezirke aber nicht in der räumlichen Realität beheimatet sind, zeigt nicht zuletzt die Wahl des irrealen, sakralen Bereichs der Seligen Inseln. Sie werden zum Symbol eines durch „pietas" ausgezeichneten Dichter- und Lebensbereiches, der allein in einer Abkehr von dem als „impius" gebrandmarkten politischen Leben dieser Zeit zu finden ist. „Das Land der Seligen", sagt Viktor Pöschl, „ist für Horaz das Land der Weisheit und Dichtung" — und des Friedens, könnte man hinzusetzen[39] — „aus dem Dunkel der Zeit führt uns der ‚vates' Horaz in eine reinere, heilige, glücklichere Welt"[40]. Somit haben wir in der 16. Epode jenen Vorgang vor

---

[36] Siehe S. 45.
[37] Otto SEEL, Weltdichtung Roms, Darmstadt 1965, S. 351 f. Zum Symbolcharakter des Planes vgl. auch H. OPPERMANN, a.a.O., S. 282.
[38] Fr. KLINGNER, Ant. 5, S. 25 f. (Römische Geisteswelt, S. 355).
[39] W. KROLL, H. 57, S. 600.   [40] V. PÖSCHL, Horaz und die Politik, S. 14.

uns, in dem Bruno Snell die große Bedeutung Vergils begründet sieht, die Gewinnung fremden Gedankengutes — Snell spricht im besonderen von den Griechen — für das Römische „durch die Kunst, in der Dichtung". Wenn in den Eklogen Vergils, meint Bruno Snell, „zum ersten Mal eine Dichtung hervortritt, die mit vollem Ernst griechische Motive zu in sich ruhenden Gebilden der Schönheit macht, *die ihre eigene bedeutende Wirklichkeit haben,* so wird damit die Kunst zum Symbol"[41].

Man könnte sich fragen, warum Horaz gerade die Seligen Inseln als Symbol gewählt habe. In diesem Zusammenhang wäre einmal die literarische Tradition zu nennen, die Horaz zur Wahl dieses Motives bewogen haben könnte. Gerade eine Vorstellung griechischen Religionsdenkens[42], wie sie die Seligen Inseln verkörpern, verbunden mit dem mythischen Bereich eines paradiesischen, durch „pietas" ausgezeichneten Goldenen Zeitalters[43], muß besonders geeignet erscheinen, einen reinen, geistigen Bezirk, wie er Horaz vorschwebte, zu symbolisieren. Der sakrale Charakter dieses Symbols wird noch durch die Übernahme von Motiven aus orientalischen Glaubensvorstellungen erhöht[44]. Vergleicht man Horaz mit Hesiod, könnte man vielleicht von einer Transponierung der πόλις τῶν δικαίων in rein geistige Bezirke sprechen[45]. Daß diese Bezirke auch dann, als die Voraussetzungen in der Realität gegeben waren, noch lange Symbol eines weitgehend geistigen Bereiches geblieben sind, beweisen die immer wieder auftretenden irrealen Züge späterer Schilderungen[46]. Vielleicht ist die Wahl dieses Symbols aber auch im Inneren des Horaz selbst zu suchen. Gino Funaioli meint, Horaz habe von seiner Heimat die Liebe zu den Fluren und Feldern mitgebracht[47]. „Für alle Sonnen geschaffen — solibus aptum — nennt Horaz einmal sich selbst in einer Epistel[48]; und man könnte es nicht besser sagen." In der 16. Epode „flieht seine Seele vor den Schrecken, die ihn bedrücken, zum strahlenden Himmel der Inseln der Seligen, wo in leichtem Lauf die Wasser plätschernd niederfließen, wo nicht Regen und Wind die Felder veröden, noch ihre Früchte in harter Scholle verdorren"[49].

[41] Bruno SNELL, Arkadien, die Entdeckung einer geistigen Landschaft, in: Die Entdeckung des Geistes. Hamburg 1955, S. 398.

[42] V. PÖSCHL, Horaz und die Politik, S. 14 f.

[43] Hans REYNEN, Ewiger Frühling und goldene Zeit. Zum Mythos des goldenen Zeitalters bei Ovid und Vergil. Gymn. 72, 1965, S. 418. — H. USENER. a.a.O., S. 197 ff., weist auf das homerische Götterland hin.

[44] Siehe S. 72 f.   [45] Siehe S. 70 f.

[46] Vgl. besonders C. I, 17. — I. TROXLER-KELLER, a.a.O., S. 36 weist im besonderen auf die Verwendung griechischer Elemente hin, die in der eigenen Dichtung zur Darstellung einer höheren, idealen Welt beitragen können. — Walter WILI, a.a.O., S. 198.

[47] Otto SEEL, Weltdichtung S. 370, zieht als Beweis für die Verbundenheit des Horaz mit dem Land im bes. Epod. 2 heran, die wegen ihrer Problematik in unserer Untersuchung nicht berücksichtigt wurde. Grundsätzliches über das Landschaftsempfinden des Horaz findet sich bei I. TROXLER-KELLER, a.a.O., S. 74 ff.

[48] Epist. I, 20, 24.

[49] Gino FUNAIOLI, Horaz Dichtung und Mensch. S. 16. — H. DREXLER, Lebenswirklichkeit, S. 31, spricht sich zwar für den Symbolcharakter der Seligen Inseln grundsätzlich aus, bezweifelt jedoch, ob es Horaz gelungen sei, dies kenntlich zu machen, da er im „räumlich realen steckenbleibe". „Die Inseln der Seligen selbst freilich, so wie sie hier dargestellt werden, sind nicht mehr real, aber sie sind ganz gewiß auch kein Symbol ‚eines reinen Bezirks des Lebens' oder als solches gänzlich ungeeignet, sondern sie sind, um es

Doch kehren wir zur Gesamtheit des Gedichtes zurück. Betrachtet man die 16. Epode unter den aufgezeigten Aspekten, so wird man sie kaum mehr ein politisches Gedicht im herkömmlichen Sinn nennen können. Schiebt man die Vordergründigkeit der Realien ein wenig zur Seite und läßt sich durch sie nicht in die Irre führen, so erkennt man, daß es sich bei Horaz in der 16. Epode um eine durchaus sakrale Beurteilung des politischen Bereiches handelt. Daraus erklärt sich auch das völlige Fehlen einer konkreten, politischen Lösung. Die Doppelschichtigkeit des Gedichtes, die sich aus der eben besprochenen, scheinbar realen politischen Vordergründigkeit und der im Hintergrund stehenden, sakralen Gesamtauffassung des Dichters konstituiert, kommt auch im Aufbau der Epode zum Ausdruck. Rein sachlich nach den Themen, Bürgerkrieg, Auswanderungsplan, Selige Inseln, gegliedert, ergibt sich ein aus drei Blöcken zu 14, 26 und 26 Versen bestehender Aufbau des Gedichtes. Hinter dieser starren, vordergründigen Gliederung steht jedoch, wie wir gezeigt haben, jene zweite ungleich kompliziertere Ordnung, die von den beiden Motiv-Bogen der „impietas" und der „pietas" bestimmt wird; durch deren Spannungsverhältnis, kunstvolle Verknüpfung und Lösung erhält die Epode ihre Bewegung und ihr wahres, inneres Leben[50].

Neben dem zweifachen Aufbauprinzip des Gedichtes findet sich eine doppelte Anlage auch in einer von Ed. Fraenkel gemachten Beobachtung bestätigt. Ed. Fraenkel weist darauf hin, daß Horaz durch den Gebrauch bestimmter „termini technici" die Versammlung römischer Bürger in der 16. Epode als eine politische Versammlung gekennzeichnet habe. Doch zeige sich bei näherer Betrachtung, daß die entscheidenden Wendungen, wie etwa „sic placet" (V. 23), „an melius quis habet suadere" (V. 23), „nulla sit hac potior *sententia*" (V. 17), vorbehaltlos auf keine bestehende Institution des römischen Staates zurückgeführt werden können. Sie sind vielmehr verschiedenen Bereichen der römischen Politik entnommen und auf eine in der Realität nicht vorstellbare politische Situation versammelt, wodurch die Schilderung der 16. Epode vom Dichter bewußt in den Bereich des Irrealen über-

noch einmal, allem befremdenden Widerpruch zum Trotz, mit Nüchternheit und Schärfe zu sagen, ein Schlaraffenland." — H. Drexler hat bei dieser Interpretation den mythisch sakralen Charakter dieses Motivs in der Antike übersehen, der es sehr wohl für eine Verwendung als Symbol prädestinierte. Wollte man Drexler folgen, so wären alle verwandten Schilderungen bei römischen Dichtern und damit auch die 4. Ekloge Vergils in diesem peiorativen Sinn zu verstehen. Denn auch bei Vergil ist die Schilderung der Goldenen Zeit in Italien ein Symbol für eine bevorstehende Ordnung des Reiches und eine gesegnete Friedenszeit.

[50] Es wäre interessant zu untersuchen, wieweit die formale Struktur eines Gedichtes, die wörtlichen Beziehungen von Versgruppen zueinander, die spezifische Wortwahl, die spannungsreiche Komposition eines Gedichtes bei Horaz zu einem tieferen Verständnis des Gedankenganges oder der Bedeutung einer Vorstellung verhelfen könnte. Jedenfalls lassen sich immer wieder wesentliche Beziehungen zwischen der formalen Struktur und dem Sinn eines Gedichtes feststellen, wie etwa in Epod. 7 durch die wörtlichen und formalen Beziehungen zwischen den V. 1—4 und V. 7—20, ebenso in Epod. 9 in den Parallelen der Schilderung des Unterganges des Pompeius und der Flucht des Antonius, oder in Epod. 1 durch die Stellung und Beziehung der Begriffe „periculum" — „otium" — „labor" und nicht zuletzt in Epod. 16 durch die gesamte komplizierte Anlage des Gedichtes, wie sie im einzelnen dargestellt wurde.

geführt werde. Somit bleibt aber auch die politische Aktivität des Horaz nur Schein. Als Motiv für diesen poetischen Kunstgriff erklärt Ed. Fraenkel die Absicht des Dichters, literarisch durch die Übernahme der Iambendichtung des Archilochos wirken zu wollen und auch dessen politische Themen, von denen er sich möglicherweise besonders angesprochen fühlte, nicht beiseite zu lassen. Aber die im Vergleich zu Archilochos veränderte literarische Situation wie auch seine eigene Stellung in einer völlig andersartigen Gesellschaft zwangen Horaz, den Eindruck echten, politischen Handelns ausdrücklich zu vermeiden[51]. Diese Deutung Ed. Fraenkels erklärt gewiß die eigentümlich zweischichtige Anlage der 16. Epode. Doch hinter der bewußten Variation eines von Archilochos übernommenen Modells steht, wie wir glauben, mehr als nur äußerer Zwang, wie er sich aus der Diskrepanz von zwei literarisch und historisch verschiedenen Epochen ergibt. Nicht um politische Aktualität im Sinne des Archilochos war Horaz bemüht, aber das Gedicht sollte auch keineswegs bloße poetische Spielerei sein, wie mancher vielleicht anzunehmen geneigt wäre, sondern hinter dem Vorwurf des hellenischen Dichters steht das eigentliche Anliegen des Horaz, die Gewinnung einer religiös mythischen Schau des historisch-politischen Bereiches, ein ähnliches Bemühen also, wie wir es in der 7. Epode beobachten konnten. Der Dichter bietet daher in der Gestalt eines Symbols keine politische, sondern eine ethisch-sakrale Lösung. Er bedient sich zwar in Form und äußerer Thematik des archilochischen Vorbildes, erfüllt es jedoch mit einem ihm ganz eigenen, universalen Bedeutungsgehalt.

Die nunmehr gewonnene Deutung der 16. Epode findet in dem folgenden Überblick eine weitere Bestätigung. Wie bereits mehrfach erwähnt, führt die Beurteilung der Bürgerkriege bei Horaz in der 16. Epode zu einem radikalen Bruch mit den gegebenen politischen Verhältnissen. Diese letzte Konsequenz als einzige Möglichkeit einer inneren Selbstbewahrung liegt in der ebenfalls symbolhaften Vorstellung der 7. Epode begründet, daß Rom durch göttliches Geschick infolge einer sich ständig erneuernden Blutschuld zum Untergang bestimmt sei. Hinter diesem sakralen Gedanken steht — man wird es annehmen dürfen — die Verzweiflung an der ausweglosen politischen Lage dieser Zeit. Horaz hat tatsächlich im Anschluß an Epode 16 zunächst keine weiteren politischen Gedichte geschrieben. Doch nach einer Pause von mehreren Jahren setzt in seinem Werk das Bestreben einer Annäherung jener beiden, für den Römer im allgemeinen als Einheit empfundenen Bereiche ein. Auf welchem Weg diese Annäherung erfolgt, scheint nun von höchstem Interesse.

Wir haben bereits darauf hingewiesen, daß die Seligen Inseln unter der Patronanz Juppiters stehen. Dieser Umstand könnte nun rein topisch und ohne tiefere Bedeutung sein, wenn man von der späteren Funktion Juppiters in der politischen Dichtung des Horaz absieht. Das erste politische Gedicht, in dem der spätere Kaiser Augustus namentlich genannt wird, ist Epode 9. Dort begegnet in V. 3 auch die Gestalt des Juppiter.

> Quando repostum Caecubum ad festas dapes
> victore laetus *Caesare*,
> tecum sub alta — sic Iovi gratum — domo
> beate Maecenas, bibam

---

[51] Ed. FRAENKEL, a.a.O., S. 42 ff.

Der Ausdruck „sic Iovi gratum" wird meist wegen seiner scheinbaren Funktions-
losigkeit übergangen. Doch umschließt er eine Aussage von größerer Bedeutung.

Eine Feier im Haus des Maecenas in Rom würde zugleich die Endgültigkeit des
caesarianischen Sieges bekunden, die zur Zeit der 9. Epode noch keineswegs gegeben
war[52]. Somit bezeichnet „sic Iovi gratum" nicht nur das Gefallen des Gottes am
Ort der Feier, sondern besagt zugleich, daß ein endgültiger Sieg Caesars im Sinne
Juppiters wäre. Juppiter würde dann, um im Rahmen des Symbols zu bleiben, die
vom politischen Bereich getrennte Sphäre der Seligen Inseln verlassen haben, um an
die Seite Caesars, des Repräsentanten der Politik schlechthin, zu treten. Deutlicher
läßt sich dieser Vorgang an der frühen Ode I 2 beobachten:

> V. 29 f.   cui dabit partis scelus expiandi
> Juppiter?

Eine Entsühnung des politischen Bereiches, die Horaz in der 16. Epode noch für
unmöglich hält, kann nur von der höchsten Gottheit selbst ausgehen. Die Wahl
Juppiters fällt auf einen Menschen, der jedoch zur Bewältigung dieser Aufgabe
göttlicher Kräfte bedarf[53]. Von dieser Warte aus gesehen, fällt auf die vieldiskutierte
Apotheose des Caesar in V. 41 ff. ein anderes, neues Licht. Man könnte in ihr ein
Symbol für die Gotterfülltheit des Menschen Caesar sehen, der sich einer über-
menschlichen Aufgabe gegenübersieht[54]. Somit vollzieht sich die Annäherung des

---

[52] Vgl. D. ABLEITINGER-GRÜNBERGER, a.a.O., S. 74 ff.

[53] Zur Verbindung Iuppiter-Augustus vgl. auch E. DOBLHOFER, a.a.O., S. 111 ff.

[54] Zur Wahl des Merkur vergleiche auch die in C. I, 10 gepriesenen Eigenschaften des
Gottes: Mäßigung der rohen Sitten unter den Menschen, Funktion als der von Juppiter
gesandte Bote, die Unterstützung des Rechtes am Beispiel des Priamos und besonders die
letzte Strophe, die Geleitung der piae animae auf die Seligen Inseln = seltener als die
allgemeine Vorstellung von Merkur als Seelengeleiter. — In diesem Zusammenhang wäre
noch die Erwähnung der „virga aurea" speziell im Hinblick auf das Beiwort „aureus"
zu beachten. Dieser Stab des Merkur galt den Römern stellvertretend für seinen Träger,
als Symbol des Glücks, des Reichtums, im besonderen des ländlichen Segens (vgl. W. H.
ROSCHER, Lex d. Mythologie, s. v. Mercurius, Sp. 2805 f. und 2813 ff.) sowie des Friedens und seiner Gaben. Er erscheint später als Attribut der Pax selbst. Diese Funktion des
Stabes tritt uns in der Literatur immer wieder entgegen, so bei Varro frg. Non. pag. 528
„caduceus pacis signum, quam Mercuri virgam possumus aestimare" und Serv. ad. Verg.
Aen. 8, 138. Auch in der römischen Realität war er in der Hand des „caduceator" das
Zeichen des Friedens: Paul Fest. p. 47, Serv. ad Aen. 4, 242, Cato inc. libr. frg. 4, Cic.
de orat. I 46, 202, Gell. 10, 27, 3, und häufig bei Livius vgl. ThLL. vol. III, 1, Sp. 32 f.,
sub voce „caduceator". Schon in der republikanischen Zeit galt er, wie A. ALFÖLDI,
a.a.O., S. 194, ausführt, als „gemeinverständliches Zeichen für die Ankündigung der
Wiederkehr der märchenhaften goldenen Zeit". Selbst wenn man den Rahmen der Interpretation nicht allzu weit spannen will, so ist die Zusammenstellung der „sedes laetae"
und der „virga aurea", der hier nichts vom Schatten des Todes anhaftet, wie etwa
C. I, 24, 16, wo als Beiwort „horrida" erscheint, doch bemerkenswert (vgl. epod. 16 in
der die „arva beata" letztes Refugium des „tempus aureum", V. 64, sind). Als inter-
essantes Detail möge hier noch angeführt werden, daß offenbar auch Alexander den
„caduceus" als Attribut seiner Herrschaft getragen hat, vgl. Epit. Alex. 2. — Wenn wir
das oben Gesagte zusammenfassen, so ergibt sich für C. I, 2 eine wichtige Perspektive,
dann nämlich, wenn wir auch hier, wie es bei Horaz häufig in Vergleichen notwendig
erscheint, die in Form einer Frage ausgesprochene Identifizierung nicht bis zur Neige
ausschöpfen, sondern Merkur weniger als Gott, denn als Träger seiner Funktionen auf-

Horaz an den politischen Bereich wieder nicht auf politischer, sondern auf sakraler Ebene[55].

Die Zweiheit Caesar-Juppiter begegnet auch in C. I 12, 57 ff. Während Caesar die ihm anvertraute Herrschaft in Gerechtigkeit ausübt, steht Juppiter als Wahrer der „pietas" über ihm[56]. Schwieriger zu fassen und darzustellen ist diese Beziehung im Musengedicht III 4. Man wird sich in erster Linie auf die Interpretation Friedrich Klingners stützen können, der in wunderbarer Weise das hier besprochene Verhältnis zwischen Herrscher und Gottheit für dieses Gedicht dargestellt hat. Mit V. 37 tritt Caesar Octavian in den Musenbereich des Dichters ein[57]. Es folgen, auf die Musen bezogen, die Verse 41/42:

> vos lene consilium et datis et dato
> gaudetis, almae ...

Friedrich Klingner hat darauf hingewiesen, daß ein unausgesprochener Zusammenhang zwischen diesem Satz und der vorangegangenen Strophe besteht, die Caesar in den Bannkreis der Musen zieht. „Rat, Weisheit, die sich lieber mit den Dingen verbündet, anstatt sie mit blinder starrer Gewalt zu zerbrechen: diese fügende, ordnende, milde Gewalt verehrt der Dichter wie in den Fügungen seines eigenen Lebens, so in den Taten des Herrschers und ihrem Gelingen."[58] Unmittelbar auf die Verse 41/42 stellt uns Horaz in einem mythologischen Bild Juppiter in seiner höchsten Machtvollkommenheit vor Augen:

V. 42 ff.   ... scimus, ut inpios
                   Titanas immanemque turbam
                       fulmine sustulerit caduco,
               qui terram inertem, qui mare temperat
               ventosum et urbis regnaque tristia,
                   divosque mortalisque turmas
                   imperio regit unus aequo.[59]

Weitausholend läßt der Dichter sich dieses Bild entfalten, das im Sieg der Olympier gipfelt. Der sich über fünf Strophen entwickelnde Gedanke wird in den V. 65 ff. prägnant zusammengefaßt:

> Vis consili expers mole ruit sua[60]
> vim temperatam di quoque provehunt

---

fassen, als Sendboten Juppiters, als Mittler zwischen Gottheit und Mensch, als Überbringer und Erhalter des Friedens und des damit verbundenen Segens für die Menschen, als Träger von Funktionen also, die Horaz Augustus erfüllen sah. Zur Verbindung des Motivs mit orientalisch-jüdischen Vorstellungen vgl. K. RUPPRECHT, a.a.O., S. 70 f., S. 73 ff. und R. HANSLIK, a.a.O., S. 238.

[55] V. PÖSCHL, Horaz und die Politik, S. 9, spricht im Zusammenhang mit der Herrscherpanegyrik von einer geradezu religiösen Sehnsucht nach Entsühnung von schwerer Schuld, die in der damaligen Zeit begründet liegt und zu deren Sprecher sich Horaz macht.

[56] Vgl. auch C. III, 5, 1 ff. und C. III, 25, 3 ff.

[57] Siehe S. 99.

[58] F. KLINGNER, Horazens Musengedicht. Römische Geisteswelt, S. 387. — W. WILI, a.a.O., S. 208. — I. TROXLER-KELLER, a.a.O., S. 101 (vgl. dazu C. III, 3).

[59] Vgl. C. I, 12, 57.   [60] Vgl. Epod. 16, 2 suis ei ipsa Roma viribus ruit.

> in maius, idem odere viris
> *omne nefas* animo moventis.

„Weisen Rat zu bewähren stellt sich demnach als Teilnahme am Wesen und an der
sieghaften Überlegenheit Jupiters und der Seinen dar", sagt Fr. Klingner. „Alles
Gedeihen und Gelingen, das der Weisheit zuteil wird, sei es im musischen Dasein,
sei es in dem des Herrschers, ruht in dem ewigen Siege Jupiters"[61]. Somit ist Caesar
gewissermaßen der von Juppiter eingesetzte (vgl. C. I 2) Repräsentant dieser höchsten, ewigen Ordnung auf Erden[62]. Bis in die späte Zeit der letzten Odensammlung
finden wir jene religiöse Beziehung aufrecht erhalten, wie etwa in C. IV 4, 73 ff.:

> nil Claudiae non perficiunt manus
> quas et benigno numine Juppiter
> defendit . . .

und C. IV 2, 37, wo für Juppiter die Götter in ihrer Gesamtheit eintreten[63]:

> V. 33 f.   concines maiore poeta plectro
>   Caesarem . . .
>   . . .
> V. 37 ff. quo nihil maius meliusve terris
>   fata donavere bonique divi
>   nec dabunt, quamvis redeant in aurum
>   tempora priscum.

In dieser Ode wird Augustus geradezu über die Gaben des Goldenen Zeitalters
gestellt[64].

Mit Juppiter sind auch einzelne Elemente aus der Schilderung der Seligen Inseln
in die Motivik der Pax Augusta eingedrungen[65]. Man denke an C. S. 29 ff.:

> fertilis frugum pecorisque Tellus
> spicea donet Cererem corona;
> nutriant fetus et aquae salubres
>   et Iovis aurae,

wo die zur Gottheit erhobenen Begriffe „Tellus" und „Ceres" wie wörtliche Anspielungen an Epod. 16, 43 f. anmuten. Verwandte Motive bringen die beiden
großen Friedensoden, C. IV 5, 17 ff.:

[61] Fr. KLINGNER, Horazens Musengedicht, S. 390 f.
[62] Über die Funktion des Juppiterkultes im Staatsdenken der Römer vgl. C. KOCH, Der
   römische Juppiter. Frankfurt/Main 1937, S. 74 f., S. 121 ff. Interessant auch die dort
   aufgezeigten Verbindungslinien z. Julischen Geschlecht, S. 61 f., S. 76. Unter diesem
   Aspekt könnten die von G. DOBESCH, a.a.O., S. 17 ff., gemachten Beobachtungen einer
   Annäherung Caesars an Juppiter, bzw. spezif. Tendenzen der august. Zeit in ihrer
   Bedeutung vertieft werden.
[63] C. IV, 5, 1 ff., scheint eher konventionell in der Anrede.
[64] Daneben setzt zum ersten Mal in dem späten Gedicht der ersten Sammlung III, 14, 14 ff.,
   eine Verabsolutierung Caesars ein, der selbst zum Garanten von Frieden und Ordnung
   wird. Dies wird besonders in der späten Ode IV, 15, deutlich: bes. V. 17 ff., custode
   rerum Caesare non furor / civilis aut vis exiget otium, / non ira, quae procudit ensis /
   et miseras inimicat urbis; Heinze meint im Zusammenhang mit C. IV, 5, 1 ff., daß der
   Ehrenname „custos rerum" Augustus dem Juppiter annähere.
[65] H. DREXLER, a.a.O., S. 147. — Hans LIETZMANN: Der Weltheiland, Bonn 1909, S. 16.

tutus[66] bos etenim rura perambulat
nutrit rura Ceres almaque Faustitas,

und C. IV 15, 4 ff.:

... tua, Caesar, aetas
fruges et agris rettulit uberes.

Hinter diesen realen Schilderungen stehen, wie C. S. 57 ff., C. IV 5, 21 ff. und
C. IV 15, 11 beweisen, die geistigen Voraussetzungen der wiedergewonnenen
„pietas".

Diese, man könnte sagen, Realisierung der symbolischen Welt der Seligen Inseln
hätte Horaz zu einer Rückkehr in die politische Welt bewegen können. Dennoch
hat er sich immer eine deutliche Reserve diesem Bereich gegenüber bewahrt. Viktor
Pöschl[67] sieht in der Spannung zwischen politischer und persönlicher Sphäre in
Leben und Dichtung des Horaz einen „Ausdruck der Vielfalt seines Wesens"[68].
„Diesem Gegensatz liegt", wie er meint, „die Erfahrung umwälzender, politischer
Ereignisse als des schlechthin Unentrinnbaren zugrunde"[69]. Unter die Schattenseiten
politischer Realität fallen jedoch nicht nur die Bürgerkriege, sondern der Krieg im
allgemeinen. Horaz war sich zwar der Notwendigkeit einer Kriegsführung zur
Sicherung des Reiches durchaus bewußt[70], wie man seinen Äußerungen vielfach ent-
nehmen kann[71], doch distanzierte er sich von der Verherrlichung kriegerischer
Taten[72], so etwa in C. I 6, C. II 12, C. IV 15 und C. IV 2[73]. Ernst Doblhofer
weist eingehend auf das Fehlen von Kriegstatenschilderungen in der Herrscher-

---

[66] Zu „tutus" vgl. C. III, 4 und C. I, 17, 5.

[67] V. PÖSCHL, Horaz und die Politik (Heidelberger Sbr. 1963), legt in eindrucksvoller
Weise die Grundzüge dieser Spannung zwischen Dichter- und Lebensbereich einerseits
und dem politischen Bereich andererseits bei Horaz im allgemeinen und an mehreren
bedeutenden Beispielen aus den Werken des Dichters dar.

[68] Viktor PÖSCHL, a.a.O., S. 10.

[69] Viktor PÖSCHL, a.a.O., S. 16.

[70] W. WILI, a.a.O., S. 147, meint im Zusammenhang mit C. III, 4: „Die ‚vis' ist also
nicht verneint, aber es ist ihr als urnotwendig das Maß und das ‚consilium' zugefordert."
Dieser Haltung entsprach die Politik des Augustus vollkommen. Vgl. auch C. IV, 4,
33 ff. und C. IV, 14, 33 ff: te copias te consilium et tuos / praebente divos.

[71] Vgl. z.B.: C. I, 2, 51 f., C. I, 12, 53 ff., C. I, 35, 29 ff., C. II, 9, 19 ff., C. III, 2, C.
III, 5, 2 ff., C. IV, 4, C. IV, 14.

[72] Fr. KLINGNER, Gedanken über Horaz, Ant. 5/1929, S. 40, oder Römische Geisteswelt
S. 372 f.

[73] Diese Ode verdient besondere Beachtung. Horaz lehnt das Ansinnen eines gewissen
Iullus Antonius, ein Triumphlied auf Augustus zu singen, ab und spricht ihn V. 33 ff.
mit diesen Worten an: concines maiore poeta plectro / Caesarem quandoque trahet
ferocis / per sacrum clivum merita decorus / fronde Sygambros; die im Triumphzug
mitgeführten Feinde symbolisierten gewissermaßen die Kriegserfolge des Augustus, die
nicht Horaz, sondern Iullus selbst in einem angemessenen Versmaß besingen soll. V. 41
fährt Horaz fort: concines laetosque dies et urbis / publicum ludum super inpetrato /
fortis Augusti reditu *forumque* / *litibus orbum*. Nun, da von fröhlichen Festen anläßlich
des Sieges, d. h. zugleich des wiedergewonnenen Friedens die Rede ist, sagt der Dichter
tum meae, si quid loquar audiendum, / *vocis accedet bona pars* et „o sol / pulcer, o
laudande" canam recepto / Caesare felix. Hinter der im Vordergrund stehenden
dichterischen Bescheidenheit scheint hier deutlicher als sonst eine grundsätzliche Haltung
des Dichters zu stehen.

panegyrik des Horaz hin. „Über den Kriegstaten stehen ihm (Horaz) die Friedensleistungen des Herrschers, über den Friedensleistungen der Friede"[74].

Zuweilen scheint der Krieg an sich bedenklich nahe an jene Bereiche herangerückt,
die für Horaz den Bürgerkrieg symbolisiert. In C. I 1, 24 f. werden die Kriege als
„matribus detestata" bezeichnet; zusammen mit der Schiffahrt treten sie als eine
lebenszerstörende Macht auf[75], für die es bereits in der 16. Epode keinen Zugang
zu den Seligen Inseln gibt, und die auch in späteren Oden dem Lebens- und Dichterbereich des Horaz fremd ist. Es ließen sich in diesem Zusammenhang noch andere
Stellen nennen[76] und näher ausführen, doch seien sie hier auf jene beschränkt, die
sich auf ein persönliches Kriegserlebnis des Dichters beziehen. Über seine Teilnahme
an der Schlacht von Philippi geht Horaz in der Ode II 7 flüchtig hinweg. Die
Problematik des Schildverlustes mag hier auf sich beruhen[77], von besonderem Interesse ist die Art der Rettung des Horaz, V. 13 ff.:

> sed me per hostis Mercurius celer
> denso paventem sustulit aere.

Ein Gott, und dieser Gott ist wohl kaum nur zufällig Merkur, entführt den Dichter
aus der Gefahr und gibt ihn einer friedlichen Welt zurück, in die nun auch Pompeius
mit göttlicher Hilfe zurückgekehrt ist, V. 17 ff.:

> ergo obligatam redde Iovi dapem
> longaque fessum militia latus
> depone sub lauru mea nec
> parce cadis tibi destinatis.

Ähnlich klingt die Aussage in C. III 4, 25 ff.:

> vestris amicum fontibus et choris
> non me Philippis versa acies retro
> ... extinxit ...

Hier retten die Musen den Dichter aus Kriegsgefahr in eine Welt, die solche Gefahren nicht kennt. „Wie von selbst", sagt Viktor Pöschl, „werden wir hineingeführt
in einen Bereich des Friedens, der ruhigen Freude und Gelassenheit, den der Dichter
erschließt und für sich selbst und *den, der sich ihm anvertraut,* gleichsam immer

---

[74] Ernst DOBLHOFER, a.a.O., S. 109, vgl. auch 92 ff., bes. 106 ff. Nur in C. IV, 14 finde sich
eine Schilderung konkreter Kriegstaten der Neronen, doch hier sei die Schilderung auffallend schematisch und von antiker Topik geprägt. Durch das folgende C. IV, 15 werde
in der ersten Strophe ausdrücklich und durch den Inhalt selbst C. IV, 14 gleichsam aufgehoben. Die gesamte Ode IV, 15 ist ein Preislied auf den Frieden.

[75] Vgl. C. I, 28, 15 ff., II, 13, 28 ff., II, 14, 13 ff.

[76] Vgl. C. I, 18, 5 — C. I, 15, 9 ff. — C. IV, 4, 47; eine eigene Funktion nimmt in diesem
Zusammenhang der Begriff „ira" ein: vgl. C. III, 8, 15 f.: ... procul omnis esto / clamor
et ira; dazu vgl. C. I, 16, 17 ff.: irae Thyesten exitio gravi / stravere et altis urbibus
ultimae / stetere causae, cur perirent / funditus imprimeretque muris / hostile aratrum
exercitus insolens. Vgl. auch C. III, 21, 18 ff. Nicht auf Krieg, sondern blutigen Streit
bezieht sich C. I, 27, 1 ff. Besonders deutlich wird die Ablehnung des Krieges im Preis
des „otium" C. II, 16, 1 ff.

[77] Viktor PÖSCHL, a.a.O., S. 16.

neu gewinnt"[78]. Ganz deutlich wird die friedliche Abgeschiedenheit des horazischen Dichterbereiches in C. III 4, 37 ff.:

> vos Caesarem altum, militia simul
> fessas cohortes abdidit oppidis,
> *finire quaerentem labores*
> Pierio recreatis antro.

Die Musen nehmen selbst Caesar, den Repräsentanten der politischen Welt in ihr Reich auf[79], wenn er die Zeichen des Krieges abgestreift hat[80], einen Caesar „finire quaerentem labores", wie es wörtlich heißt. Die Parallele zu Epod. 16, 16 „malis carere quaeritis laboribus" ist unüberhörbar. Auch die „melior pars" sucht frei zu sein von „labores", ein Wunsch, der ihr das Tor zu den Seligen Inseln öffnet. Aus der Parallele heraus wird man annehmen dürfen, daß hinter „labores" in C. III 4 ein ähnlicher Gedanke steht, wie in Epod. 16[81]. Der Wandel der Gesamteinstellung des Dichters kommt in der feinen Nuancierung der Infinitive zum Ausdruck. An Stelle der bloßen Befreiung (carere) von den Freveln und Mühen der Bürgerkriege ist nunmehr ihre Beendigung (finire) und Sühnung möglich geworden.

Horaz ist sich immer der Polarität des politischen Bereiches bewußt geblieben, die sich in zwei mythologischen Gestalten seines Werkes vielleicht am besten fassen läßt, in Achilleus und Odysseus. Achill, an dem jene der Politik anhaftenden und sie zeitweise bestimmenden Kräfte sichtbar werden[82], die Horaz aus eigenem Erleben heraus nie aufgehört hat zu fürchten, wird nicht umsonst in der Ode an Apollon C. IV 6[83] zusammen mit Niobe und Tityos genannt, die ihrer Hybris

---

[78] Viktor Pöschl, a.a.O., S. 18.   [79] H. Oppermann, a.a.O., S. 293 f.

[80] Konkret ist die Ansiedlung der Veteranen nach der Besiegung des Antonius gemeint, wie Heinze erklärt.

[81] Siehe S. 33 ff.

[82] Vgl. auch Epist. II, 2, 42 und A. P. 120 f.

[83] Ernst Bickel, a.a.O., S. 214, irrt, wenn er meint, Horaz bezeichne in der Ode IV, 6, 3 Achill als eigentlichen Überwinder Trojas, denn er läßt das entscheidende Wort „prope victor" einfach beiseite. Viel eher könnte man diese Rolle für Odysseus in Anspruch nehmen: Vgl. epist. I, 2, 19 „qui *domitor Troiae . . .*" — Die von Bickel a.a.O., S. 210 ff., in diesem Zusammenhang aufgestellte Parallele Caesar/Achill in C, I, 37, 15 ff., die darin bestehen soll, daß Caesar ebenso wie der große homerische Held dem Gegner, dem gewaltigen Ostreich den Untergang gebracht habe, führt zu weit und ist in dieser Form nicht nachweisbar. Man wäre dann auch gezwungen, Kleopatra mit dem homerischen Hektor in eine weitgehende Beziehung zu bringen, was sich von selbst ausschließt. — Es scheint Horaz nur um das Bild an sich gegangen zu sein, wobei sich der Vergleich ähnlich wie bei Homer Il. XXII, 139 f. nur auf zwei wesentliche Punkte der Schilderung bezieht. Die Gleichsetzung Caesars mit „accipiter" und „citus venator" nimmt Bezug auf die Schnelligkeit der Verfolgung des Gegners, die Wahl vom „columba" und „lepus" als Vergleiche für Kleopatra zielt nicht darauf, einen Wesenszug der Königin zu symbolisieren, wie die folgenden Strophen deutlich zeigen, sondern bezieht sich auf die unmittelbar vorher geschilderte Augenblickssituation, da sich ihr „furor" (V. 12) in „timor" (V. 15) verwandelt hat. Ähnlich wie im Phokäervergleich der 16. Epode werden nur einzelne dem Dichter wesentlich erscheinende Züge einer Situation durch den Vergleich unterstrichen (siehe S. 37 f., 106 f.). Die Situationsgebundenheit des Vergleichs ist in C. I, 37 besonders auffällig und schließt in ihrer Begrenztheit eine so weitgefaßte, allgemeine Interpretation, wie sie Bickel geben will, aus.

zufolge der Rache des Gottes verfallen[84]. Zusammen mit Paris und Agamemnon wird er in der Epist. I 2, 9 ff. dem Odysseus gegenübergestellt, und dort tritt die oben erwähnte Polarität deutlich zutage:

> Antenor censet belli praecidere causam
> quid Paris? ut salvus regnet vivatque beatus,
> cogi posse negat. Nestor componere litis
> inter *Peliden* festinat et inter Atriden:
> hunc amor, *ira*[85] quidem communiter urit utrumque.
> quidquid delirant reges, plectuntur Achivi.
> seditione, dolis, *scelere*[86] atque libidine et *ira*
> Iliacos intra muros *peccatur*[87] et extra.
>
> rursus, quid *virtus*[88] et quid *sapientia*[89] possit,
> utile proposuit nobis exemplar *Ulixen.*

Eine völlige Synthese jener vom Dichter selbst in der 16. Epode symbolisch geschaffenen, geistigen, später weitgehend realisierten Welt, einer reinen, friedlichen Welt überstrahlt vom Licht seiner Muse, mit der unter zweifachen Sternen stehenden politischen Welt, um deren Gefahren vor allem für die inneren Werte des Menschen er wußte[90], hat Horaz nie ernsthaft angestrebt. Seine Dichtung erwächst zu einem großen Teil aus dieser ihm durchaus bewußten Spannung zweier im Grunde selbständiger Bereiche[91]. Horaz, bei dem man „fast von einer Religion des Dichtertumes" sprechen kann[92], hat den ihm adaequaten Bereich seiner göttlichen Muse, der zugleich Lebensbereich ist[93], nie preisgegeben. Wenn man zu dieser Erkenntnis gelangt, wird die 16. Epode, in mancher Hinsicht gedanklich vertieft und bereichert, über vage Verbindungslinien hinaus geradezu als Leitmotiv für sein späteres Leben und Dichten gelten dürfen[94].

---

[84] Das Bild seines Falles wird breit ausgeführt. Vgl. bes. V. 17 ff.
[85] Siehe S. 98, Anm. 76.
[86] Vgl. S. 10, Anm. 7 u. S. 82.
[87] Siehe S. 98, Anm. 76.
[88] Siehe S. 43 ff. u. 82.
[89] sapientia, vgl. S. 95 f. (C. III, 4 lene consilium).
[90] Viktor Pöschl, a.a.O., S. 12.
[91] V. Pöschl, a.a.O., S. 11.
[92] V. Pöschl, a.a.O., S. 15.
[93] Irene Troxler-Keller, a.a.O., S. 39, weist auf die enge, unlösbare Einheit hin, die Menschentum und Dichtertum für Horaz bilden, wie man dies nirgends vor ihm so bewußt empfunden und ausgesprochen findet weder bei den Griechen noch bei den Römern. Er bemüht sich daher, auch formal eine Vereinigung der göttlichen Sphäre der Kunst mit der Lebensrealität zu erreichen.
[94] H. Oppermann, a.a.O., S. 275.

III. POLITISCHE GEDICHTE DES ÜBERGANGES

Insbesondere 1. Epode

Unter dem Eindruck einer nahe bevorstehenden, in ihrer Bedeutung weittragenden kriegerischen Auseinandersetzung wird Horaz, wie aus seiner Dichtung hervorgeht, im Jahre 32 v. Chr. mit dem Bereich aktiver Politik konfrontiert. In den unter solchen Voraussetzungen geschaffenen Gedichten knüpft Horaz wie Fr. Klingner erwähnt[1], noch nicht unmittelbar an die frühen Epoden 7 und 16 an. Man könnte in den um Aktium entstandenen Liedern erste unsichere Versuche einer Annäherung der in Epode 16 getrennten Bereiche sehen, ohne daß dem Dichter die poetische Gestaltung und die Art dieses Vorganges mit jener Klarheit vor Augen stand, wie wir sie später fassen können[2].

Mit C. I 14, dessen Entstehung etwa in die Zeit um Aktium fällt[3], begegnet zum ersten Mal die Sorge um den Staat als ein persönliches Anliegen des Dichters[4]; doch drückt Horaz seine Gedanken nicht direkt, sondern unter dem Mantel der Allegorie aus[5]. In der ersten Epode stellt uns der Dichter eine wenn auch nur äußerliche Synthese der in der 16. Epode getrennten Bereiche als Notwendigkeit seiner Freundschaft zu Maecenas dar. Eine direkte persönliche Beziehung zur politischen Welt Octavians ohne das Medium dieser „amicitia" findet sich dort noch nicht. Jedoch bereits in Epode 9 scheint der spätere Gedanke einer von den Göttern gewollten Entsühnung des politischen Bereiches anzuklingen[6]. Ebenso kann man die ersten Verse des großen Siegesliedes C. I 37 unter diesem sakralen Aspekt betrachten, wenn auch eine unmittelbare Verbindung der Gottheit mit Caesar Octavian nicht ausdrücklich hergestellt wird:

> Nunc est bibendum, nunc pede libero
> pulsanda tellus, nunc Saliaribus
>   ornare pulvinar deorum
>   tempus erat dapibus, sodales.
> antehac *nefas* depromere Caecubum
> cellis avitis, ...

[1] Friedrich KLINGNER, Gedanken über Horaz. S. 368 (Ant. S. 35 f.).
[2] Siehe S. 93 ff.
[3] Alfred KAPPELMACHER, Der Werdegang des Lyrikers Horaz. WS 43/1922—23, S. 56 ff., setzt C. I, 14 im Jahre 39 v. Chr. an, eine Datierung, die jedoch zu früh sein dürfte. Ed. FRAENKEL, a.a.O., S. 158, spricht sich ebenfalls für eine Datierung mehrere Jahre vor Aktium aus. In die Phase vor Aktium datieren u. a. W. WILI, a.a.O., S. 119, H. HOMMEL, a.a.O., S. 63, L. P. WILKINSON, The earliest odes of Horace. H. 84 1956, S. 495 ff.
[4] Vgl. bes. V. 17 f. nuper sollicitum quae mihi taedium / nunc desiderium curaque non levis ...
[5] Vgl. auch epod. 13.
[6] Siehe S. 93 f. Vgl. auch D. ABLEITINGER-GRÜNBERGER: WS, N. F. 2/1968, S. 74 ff.

Über den Bereich der Andeutung gehen diese Gedichte jedoch nicht hinaus. Daneben lassen sich aber vielfach gedankliche Beziehungen zu den frühen Epoden feststellen. Welcher Art diese Beziehungen sind und wieweit sie den Charakter des einzelnen Gedichtes bestimmen, soll im folgenden Abschnitt an Epode 1 kurz skizziert werden.

Dieses Gedicht kann jedoch nur soweit behandelt werden, als es, wenn auch einem anderen Themenkreis zugehörig, für die politische Dichtung Bedeutung hat. Denn das Thema der Epode gilt nicht dem Staat und seinen Problemen, obwohl der Anlaß ihrer Abfassung ein bevorstehendes politisches Ereignis ist. Vielmehr vernehmen wir hier, wie bereits angedeutet wurde, unter dem Eindruck der heraufziehenden Schlacht von Aktium zum ersten Mal ein deutliches Anklingen jener das Leben des Dichters in vielfacher Weise bestimmenden „amicitia", die Horaz mit Maecenas verbunden hat[7]. Andererseits kann ein Gedicht, das wie dieses mit dem Bild einer Kriegsflotte beginnt und vom „periculum Caesaris" spricht, nicht einfach auf die private Sphäre des Dichters reduziert werden[8]. Auf Grund dieser durch die Situation bedingten Polarität werden sich einige für unsere Untersuchung interessante Aspekte ergeben.

In den V. 1/2 fällt kein Name, obwohl die Epode als Widmungsgedicht die Sammlung einleitet; sie werden zur Gänze von dem Vokativ „amice" bestimmt, der zugleich das eigentliche Thema des Gedichtes fixiert[9]. Der Name des Maecenas wird erst nach dem Caesar Octavians in V. 4 genannt, er erfüllt neben „amice" eine sekundäre Funktion[10]. Die Komposition des Anfangsbildes ist so vollkommen, daß die Vorstellung des von feindlichen Schiffen umringten Freundes durch die Gruppierung der Wörter plastisch zum Ausdruck gebracht wird: inter *alta navium* — amice — *propugnacula*. In den V. 3/4 nennt der Dichter in unmittelbarer Verbindung mit Maecenas Caesar Octavian, dessen „periculum" Maecenas zu teilen bereit ist[11]. „Periculum" findet sich nur vereinzelt im Werk des Horaz, davon meist im heiter ironischen Ton der Übertreibung (C. III 20, 1 — sat. II 8, 57 — epist. I 18, 83) oder in erotischem Zusammenhang (sat. I 2, 40 — sat. II 7, 73). Einmal begegnet es in einem mythologischen Vergleich oder besser Exemplum (C. II 12, 7) und ein weiteres Mal als allgemeiner Begriff der durch die Macht des Dichters zu bannenden Gefahren in epist. II 1, 136. Besondere Bedeutung kommt dem Begriff „periculum"

---

[7] Karl MEISTER, Die Freundschaft zwischen Horaz und Maecenas. Gym. 57/1950, S. 14, weist auf die ganz andere Stimmung der Epode gegenüber früheren Gedichten hin, in denen Horaz von seinem Verhältnis zu Maecenas spricht.

[8] Ed. FRAENKEL, a.a.O., S. 70.

[9] Vgl. C. III, 29. Ed. FRAENKEL, a.a.O., S. 69, R. HANSLIK, Horaz und Aktium. Serta phil. Aenipontana, Innsbruck 1962, S. 336.

[10] Diese Anrede findet sich nur noch epist. I, 7, 12.

[11] Mit ähnlichen Worten hat Horaz C. II, 17, 11 seine eigene Bereitschaft, Maecenas selbst auf seinem Weg in die Unterwelt zu begleiten ausgedrückt. Auch in epod. 1, 3 könnte der Gedanke an eine Gefolgschaft in den Tod im Begriff „periculum" mitschwingen. Die Diktion der beiden genannten Stellen ist ähnlich: epod. 1, 3 f. *paratus* omne Caesaris periculum / subire, Maecenas, tuo — C. II, 17, 11 f. ... supremum / carpere iter comites *parati*. Überhaupt mutet C. II, 17 wie eine Wiederaufnahme der Gedanken von epod. 1 an.

jedoch in C. III 25, 18 zu. Dort bezeichnet er jene Gefahr, die im ekstatischen Akt des dichterischen Schaffens dem Menschen aus der Begegnung mit der Gottheit erwächst, ein Gedanke, der, wie Ed. Fränkel ausführt, in der Dichtung des Horaz mehrfach begegnet[12]. Nur in epod. 1, 3 und C. III 25, 18 bezeichnet „periculum" eine lebensbedrohende Macht, in der Epode im politischen, in der Ode im dichterischen Bereich. „Periculum" symbolisiert hier die Sphäre aktiver Politik, als deren Repräsentant im Rahmen der von uns untersuchten Gedichte zum ersten Mal Caesar Octavian namentlich in Erscheinung tritt. Durch seine Loyalität Caesar gegenüber gehört auch Maecenas dieser politischen Sphäre an. Aus der ideellen Spannung zwischen der Freundschaft des Horaz zu Maecenas und dessen politischer Mission muß sich notwendig eine latente Problematik für den Dichter ergeben.

Während die V. 1—4 ausschließlich der Person des Maecenas gewidmet sind, kommt der Dichter nun auf sich selbst zu sprechen. Der Gedanke an einen möglichen Verlust des Freundes[13], ausgedrückt in Gestalt einer Frage, wird zugleich zum Bekenntnis dieser seiner Freundschaft:

> V. 5 f.:   quid nos[14], quibus te vita si superstite
> iucunda, si contra, gravis.

Klaus Eckert äußert zutreffend, Maecenas bedeute für Horaz etwas Ähnliches wie Daphnis für die Hirtenwelt Vergils, durch dessen Verlust auch dort die Welt Schönheit und Glanz verliert[15].

Jedoch schon aus den folgenden V. 7—10 wird klar, daß Horaz auf Wunsch des Maecenas in Rom verbleiben soll. Dem „periculum" V. 3 steht in V. 7, durch seine Endstellung in gleicher Weise betont, das von Maecenas geforderte (iussi) „otium" als konträrer Begriff gegenüber[16]. Die formale Parallele geht jedoch weiter. Denn wie „periculum" den dritten Vers der Einleitung abschließt, die sich mit Maecenas befaßt, so steht „otium" am Ende des dritten Verses jener Zeilen, in deren Brennpunkt wir Horaz sehen. Auch hier wählt der Dichter wie in V. 5/6 die Form der Frage. Soll sich Horaz einem zwar von Maecenas befohlenen, aber ohne den Freund „non dulce otium" hingeben oder, wie es dem Manne ziehmt, „hunc laborem ferre". Hier treffen zwei bei Horaz über weite Strecken antithetische Begriffe aufeinander, *otium* und *labor*. „Otium" bedeutet für den Dichter eines der höchsten menschlichen Güter überhaupt. Fast ausschließlich dem Preis des „otium" ist C. II 16 gewidmet[17]. Derselbe Gedanke kehrt in epist. I 7, 35 wieder. In der A. P. V. 199

---

[12] Ed. FRAENKEL, a.a.O., S. 258 und 435 f. I. TROXLER-KELLER, a.a.O., S. 53 f.

[13] Der Gedanke eines möglichen Verlustes, hier zum ersten Mal ausgesprochen, kehrt in C. II, 17, 5 ff. formal ähnlich, jedoch gesteigert wieder. Die Sprache ist dort reicher, die einzelnen Wörter sind dem gehobenen Ton der Ode angepaßt. Statt des breit ausgeführten „a te meae si partem animae rapit maturior vis" (C. II, 17, 5 f.) lesen wir in der Epode im Gegensatz zu „te ... si superstite" (V. 5) ein aller poetischen Fülle bares „si contra". Statt „nec carus aeque nec superstes / integer" steht neben dem positiven „vita ... iucunda" einzig das Wort „gravis".

[14] Zum singularen Gebrauch von „nos" statt „ego" bei Horaz vgl. Elsie HANCOCK, The use of the singular NOS by Horace. ClQu. 19/1925, S. 43—55.

[15] Klaus ECKERT, O et praesidium et dulce decus meum. WS 74/1961, S. 78.

[16] R. HANSLIK, a.a.O., S. 336.

[17] Siehe S. 98, Anm. 76.

wird dem Chor der Tragödie die hohe Aufgabe zugewiesen, Gerechtigkeit, Ge-
setze „et apertis otia portis" zu preisen, wobei nicht übersehen werden soll, daß
„otium" hier wie auch C. IV 15, 18[18] weitgehend dem Begriff der „pax" ange-
nähert ist. Daneben erscheint es in der Bedeutung „Ruhe, Frieden" für den Einzelnen C. I 1, 16. In unmittelbarer Verbindung mit „labor" sehen wir es im Bereich
des Skurrilen in epod. 17, 24 „nullum a labore me reclinat otium", wobei „labor" die
durch Canidia verursachten Seelenqualen des Dichters bedeutet. Obwohl das konkrete Wort „otium" in der Odendichtung selten ist, gehört es seinem Inhalt nach,
wie die beiden Beispiele C. II 16 und C. IV 15, 18 deutlich zeigen, dem Bereich an,
den wir im Rahmen der 16. Epode als Dichter- und Lebensbereich des Horaz erkannt
haben. Diesem inhaltlich positiv determinierten Begriff des „otium" steht der des
„labor" gegenüber. Seine Fixierung ist komplizierter und wäre einer eigenen Untersuchung wert, zumal er im lyrischen Werk des Horaz eine Bedeutungsverschiebung
zu erfahren scheint[19]. Von den zahlreichen Stellen sollen hier nur jene hervorgehoben werden, die für diesen Vorgang charakteristisch sind, wobei sich die negative
Färbung, von verschiedenen Perspektiven aus gesehen, auch in motivisch verschiedener Umgebung nachweisen läßt. Außer in der bereits im Zusammenhang mit
„otium" zitierten Stelle epod. 17, 24 steht „labor" noch einmal in der Epoden-
dichtung, und zwar in der besprochenen Stelle epod. 16, 16, wo „labor" ähnlich wie in C. I 3, 36 unter einem sakralen Aspekt gesehen, ein frevelhaftes Verhal-
ten des Menschen und die daraus erwachsenden Konsequenzen bedeutet[20]. Als qual-
volle Strafe für Freveltaten im mythischen Bereich lesen wir es in C. II 14, 20 und
in C. II 13, 38, wo zugleich die Dichtung als Linderung des „labor" erscheint. Der
letztgenannte Gedanke findet sich auch C. I 32, 14. In der Bedeutung „Kriegsmühe"
begegnet es bei Horaz in der sat. I 1, 5 und mit einem weit größeren Bedeutungsgehalt, wie bereits gezeigt wurde, C. III 4, 39[21]. Neben der Dichtkunst erscheint
auch der Wein als Befreier von „tristitia" und „labores" in C. I 7, 18. Diese an
motivisch unterschiedlichen Stellen faßbare negative Determinierung des Begriffes
„labor" findet sich in der vierten Odensammlung nicht. Dort tritt „labor" einmal
in der Bedeutung „Verdienst des Freundes" (C. IV 9, 32) auf, zusammen mit dem
Adjektiv „secundus" bezeichnet es C. IV 4, 45 die Erfolge der Römer, die zur
Größe Roms beigetragen haben, und in C. IV 4, 6 schließlich, wo „labor" zwar

---

[18] Siehe S. 96, Anm. 64.
[19] Die zahlreichen Stellen in den Satiren und Episteln wurden im allgemeinen wegen der
auf einer anderen Ebene liegenden Thematik ausgeschieden; dazu kommen einige Epo-
den- und Odenstellen, die aus demselben Grund nicht herangezogen werden konnten.
So wurden alle jene Stellen ausgeschieden, in denen „labor" in scherzhafter oder satiri-
scher Bedeutung vorkommt: sat. I, 8, 18 — sat. II, 8, 66 — epist. I, 7, 67, ebenso jene
Stellen mit erotischer Bedeutung: sat. I, 2, 76 oder C. III, 15, 3. Zuweilen bezeichnet
„labor" die gesunde körperliche Betätigung: sat. II, 2, 12 und 14, epist. I, 18, 48, oder
die Mühsal manueller Arbeit in negativem und positivem Sinn: epod. 5, 31, C. III,
24, 15, (C. IV, 3, 3) oder die Mühe des Gelderwerbes: sat. I, 1, 30, 33, 93, epist. I, 1, 44,
epist. II, 2, 196. Durchwegs positiv ist die Bedeutung von „labor" hinsichtlich der sorg-
fältigen Arbeitsweise des Dichters: sat. I, 4, 12, sat. II, 1, 11, C. IV, 2, 29, epist. II,
1, 224, epist. II, 3, 291. In allgemeinerer Bedeutung steht es noch in: sat. I, 9, 60, sat.
I, 1, 88, sat. II, 6, 21 und epist. II, 1, 11.
[20] Siehe S. 33 ff.　　　　　[21] Siehe S. 99.

dem Begriff „periculum" nahekommt, dient es im Vergleich des Drusus mit einem
Adler einzig dazu den „vigor" des jungen Vogels zu unterstreichen. Während
„otium" dem Leben des Dichters adaequat ist, wie sich aus der gesamten bisher
behandelten Motivik zwangsläufig ergeben mußte, können wir in dem Begriff
„labor", wenigstens für die Epoden und frühen Oden, ein dem Dichter- und Lebensbereich des Horaz widersprechendes Element erkennen[22]. Das im Konex mit
„otium" V. 7 auftretende Adjektiv „dulcis", das uns bereits in Epode 16 an entscheidender Stelle begegnet ist[23], darf auch hier nicht übersehen werden. Dieses
Adjektiv steht „bei Horaz vielfach in Verbindung mit dem musischen und damit
wiederum mit dem göttlichen Bereich": C. I 26, 9, C. II 12, 13, C. I 22, 23 f., C. I
32, 15[24], C. II 13, 37[25], C. III 25, 18[26]. Durch dieses Epitheton wird die Zuge-
hörigkeit des Begriffes „otium" zum musischen Lebensbereich des Dichters ausdrücklich unterstrichen, mit der Negierung des Adjektives jedoch nichts anderes ausgedrückt, als daß dieser Lebensbereich ohne die gegenwärtige Freundschaft des
Maecenas seines Inhaltes beraubt ist.

V. 11 leitet den zentralen Abschnitt der Epode ein, der bis V. 24 reicht. Er
beginnt entschieden mit „feremus", das die Wendung „an hunc laborem ... ferre"
(V. 9/10) wiederaufnimmt und beantwortet. Im folgenden bis V. 14 wird an einzelnen fiktiven Beispielen die Unumstößlichkeit des einmal gefaßten Entschlusses
manifestiert[27]. Es werden, wie auch C. II 6, Gegenden genannt, die der Dichter
selbst nur im Schutze der Musen zu betreten wagt (C. III 4, 29)[28].

Mit V. 15 tritt an die Stelle des Plurals der V. 5—14 der Singular, wodurch die
Gestalt des Dichters plastischer wird und dem Maecenas näherrückt[29]. Horaz versucht in diesen Versen dem Freund den eigentlichen Grund seines Wunsches darzulegen. „A man like Horace is not tempted to assume on such an occasion a heroic
pose; he remains what he always is, perfectly sincere, and so he says of himself
‚inbellis ac firmus parum'"[30]. Diese Äußerung Ed. Fränkels findet in den Wörtern
des Dichters ihre volle Bestätigung. Wir greifen als Beweis das Adjektiv „inbellis"
heraus; es findet sich im Gesamtwerk des Horaz noch an weiteren 5 Stellen, von
denen zwei den unmittelbaren Lebensbereich des Horaz als Dichter und als Mensch

---

[22] Vgl. in den äußeren Lebensbereich übertragen epist. II, 2, 66.
[23] Siehe S. 44.   [24] Siehe S. 104.   [25] Siehe S. 104.   [26] K. ECKERT, a.a.O., S. 80.
[27] K. ECKERT, a.a.O., S. 79 (Anm. 38); hingegen findet H. DREXLER, a.a.O., S. 162, die
    Erwähnung dieser unaktuellen Gegenden merkwürdig. Eine Wiederholung dieses Ge-
    löbnisses stellt in gewissem Sinn die dritte Strophe von C. II, 17, dar. Vgl. K. MEISTER,
    a.a.O., S. 17, Anm. 3, W. WILI, a.a.O., S. 128 f., B. KIRN, a.a.O., S. 48, vermutet in der
    Wortwahl „ibimus" (C. II, 17, 10) eine Anspielung auf den Beginn d. 1. Epod. (ibis ...).
    Möglicherweise sollte man in dem an dieser Stelle in C. II, 17 für den Singular eintre-
    tenden Plural „ibimus" ebenfalls einen Hinweis auf die 1. Epode sehen. Th. PLÜSS,
    a.a.O., S. 122 ff., der die Epode ironisch auffaßt, und R. LATSCH, a.a.O., S. 79 ff., der
    wie Plüß eine beabsichtigte Teilnahme des Maecenas an der Schlacht ausschließt, stellen
    die Einleitung der Epode als einen bloßen Kunstgriff dar und nehmen an, daß die Epode
    auf dem Sabinergut geschrieben wurde. Ähnlich auch Ed. FRAENKEL, a.a.O., S. 287; mit
    dieser Annahme wird der Ernst und die Aufrichtigkeit des Gedichtes, woran Latsch und
    Fraenkel festhalten, jedoch sehr in Frage gestellt.
[28] K. ECKERT, a.a.O., S. 76. Anm. 33.
[29] E. HANCOCK, a.a.O., S. 53.   [30] Ed. FRAENKEL, a.a.O., S. 70.

betreffen und eine mit dem zuerst genannten indirekt verbunden ist. In C. I 6, 10 ist es die „Musa lyrae inbellis", die eigentliche Muse des Dichters, die ihm verbietet, die Taten Caesars zu besingen[31]. „Inbellis" bezieht sich also auf die dichterische Sphäre des Horaz, er ist selbst ein „poeta lyrae inbellis". Epist. I 7, 44 f. jedoch weist auf den äußeren Lebensbereich des Dichters, auf seine Umwelt hin: „parvum parva decent : mihi iam non regia Roma / sed vacuum Tibur placet aut inbelle Tarentum". Die Sehnsucht, in der Stille und im Frieden des Landes die Erfüllung seines Lebens und seiner Muse zu finden, ist, wie wir zu zeigen versuchten, ein Wesenszug des Horaz, der ihm von Anfang an eignet. In C. I 15, 15 findet sich „inbellis" in Verbindung mit dem Instrument des Dichters, der Cithara, die allerdings in den Händen des Paris, der durch eigenes Verschulden in eine kriegerische Welt gestellt ist, ihren Wert verliert. In Aufbau und Wortstellung erinnert V. 15 an V. 3 der Epode[32]. Doch hier setzt Horaz statt „periculum" den schwächeren und seinem Inhalt nach unkonkreteren Begriff „labor" und tritt damit unauffällig hinter Maecenas zurück. Mit keinem Wort spricht er von einer möglichen Gefährdung seiner Person. Die Antwort auf die Frage „roges, tuum labore quid iuvem meo" bleibt unausgesprochen, aber sie ist in den Wörtern „inbellis ac firmus parum" enthalten. V. 17/18 in der Mitte der Epode umschließen die Begründung für die vom Dichter gewünschte Gefolgschaft:

> comes[33] minore sum futurus in metu
> qui maior absentis habet.

Im folgenden Vergleich der V. 19—23 erhebt sich die Sprache zur Höhe reinster Lyrik[34], in ihm wird ausgesprochen, was für Horaz anders unaussprechlich wäre[35]. Auch die Vogelmutter, die ihre Jungen im Augenblick der Gefahr, da sich die Schlange dem Nest nähert, nicht allein wissen will, ist „inbellis" und „firmus parum". Sie fürchtet die Schlange immer, gleichviel wo sie sich gerade befindet, so wie Horaz um den Freund in den Gefahren des Krieges fürchtet, ob er selbst in Rom weilt oder in Aktium. Aber die Gewißheit der miterlebten Gefahr ist leichter zu ertragen als die Ungewißheit in der Trennung. Dem „quid iuvem labore meo" entspricht in V. 21/22 „non, ut adsit[36], auxili latura plus praesentibus". Es wäre absurd und entspricht auch nicht der im Vergleich von Horaz angewandten Technik, das Verhältnis der Vogelmutter zu ihren Jungen uneingeschränkt auf die wechselseitigen Beziehungen des Dichters zu Maecenas zu übertragen[37], am wenigsten unter dem Aspekt von Schutz und Schutzbedürftigkeit. Der Vergleich soll ausschließlich die Verbundenheit des Horaz mit Maecenas symbolisieren. Aus diesem Gefühl heraus resultiert der Wunsch, auch in der Gefahr dem Freund nahe zu sein,

---

[31] Siehe S. 97 f.
[32] Ed. FRAENKEL, a.a.O., S. 70, Anm. 2. H. DREXLER, a.a.O., S. 159.
[33] comes, vgl. C. II, 17, 12.
[34] Ed. FRAENKEL, a.a.O., S. 70. B. KIRN, a.a.O., S. 47, weist auf die Beliebtheit gerade des Vogelvergleiches in der klassischen Iambographie und im besonderen bei Archilochos hin.
[35] M. ANDREWES, Horace's use of imagery in the Epodes an Odes. G&R 19/20, 1950—51, S. 114.
[36] Zur Textkritik vgl. Bentley; Text nach Fr. Klingner.
[37] Th. PLÜSS, a.a.O., S. 122, sieht in diesem Vergleich einen besonderen Ausdruck der Ironie.

ungeachtet ihrer Dimensionen und der in der eigenen Individualität verhafteten Ohnmacht. Jede Aussage im Mittelteil des Gedichtes ist auffallend knapp und einfach. Es scheint, als habe der Dichter nach einer Ausdrucksform für ein neues Gefühl gesucht. Jedes Pathos wird vermieden, selbst der Vergleich wirkt sprachlich gedrängt und sparsam.

Mit V. 23 verläßt Horaz den Bereich der Metapher. Der Gefolgschaftsgedanke von V. 10—14 wird, auf den konkreten Fall bezogen, neu aufgenommen. In diesen und in alle weiteren Kriege wird Horaz Maecenas begleiten. Durch den Zusatz „et omne militabitur bellum" weist das Gedicht noch einmal wie in V. 10—14, aber hier in realerem Sinn, über den Einzelfall hinaus ins Allgemeine[38], wodurch das konkrete Ereignis zugunsten des eigentlichen Anliegens der Epode, der „amicitia", zurücktritt[39]. Mit dem passiven Verbum „militabitur" gewinnt, ähnlich wie in den V. 11—14 durch den Plural, die Gestalt des Dichters wieder an Distanz[40].

In V. 24 wendet sich der Dichter dem Gedanken des für seine Gefolgschaft erhofften Lohnes zu: „militabitur ... in tuae spem gratiae". „Gratia" — so schreibt R. Hanslik[41] — „ist ein ethischer Wert, der eng zu dem der amicitia gehört ... gratia bedeutet Wiedervergeltung für erwiesene amicitia und zählt zu den officia der amici." Diese von R. Hanslik aufgezeigte ethische Wertigkeit des Begriffes läßt sich bei Horaz auch an anderer Stelle nachweisen. In den frühen Gedichten ist das Wort „gratia" nur zweimal zu belegen, nämlich hier in der Epode und in sat. I 6, 88 in der Bedeutung der dem Vater geschuldeten Dankbarkeit. Die übrigen sechs Stellen finden sich ausnahmslos in den Episteln, drei davon können in unserem Zusammenhang herangezogen werden. In epist. I 4, 10 bedeutet „gratia" etwa soviel wie dankbare Anerkennung. Von besonderem Gewicht sind jedoch epist. I 3, 30ff. und epist. I 18, 41, wo „gratia" beidemale von Freundespaaren in der Bedeutung Freundesliebe oder Freundschaft gebracht wird. Wir werden somit sagen dürfen, daß in Epode 1 die eigene Freundschaft Grund für die Gefolgschaft des Dichters ist und die erwiderte Freundschaft ihr Lohn sein soll.

Die letzten V. 25—34 seien hier nur kurz gestreift. Das eigentliche Anliegen des Dichters hat mit V. 24 sein Ende gefunden. Es folgt in einem auffallend satirenbzw. komödienhaften Ton eine detaillierte Ablehnung einer materiellen Belohnung. Man hat sogar von einem Stilbruch in der Epode gesprochen[42], doch scheint es, als wolle Horaz den Ernst des Mittelteiles im heiteren Ton des Schlusses undramatisch ausklingen lassen[43].

---

38 R. HANSLIK, a.a.O., S. 335.

39 H. DREXLER, a.a.O., S. 162.

40 Dasselbe läßt sich in C. II, 17 beobachten. E. HANCOCK, a.a.O., S. 53, meint, Horaz wähle in der Regel, wenn er sich an Maecenas wende, für die Erwähnung seiner Person den Plural. Diese Auffassung kann ich nicht teilen, da sich außer dieser Epode und der in bewußter Parallele gedichteten Ode II, 17 keine vergleichbaren Beispiele in den Gedichten an Maecenas feststellen lassen.

41 R. HANSLIK, a.a.O., S. 336 f., vgl. auch H. DREXLER, a.a.O., S. 163 f.

42 Ed. FRAENKEL, a.a.O., S. 70, führt den Ton der letzten Zeilen darauf zurück, daß Horaz die Eingangsepode auch abgesehen von der metrischen Form als Iambus im traditionellen Sinn kennzeichnen wollte.

43 B. KIRN, a.a.O., S. 49.

Werfen wir abschließend nach einmal einen Blick zurück. Die Epode ist trotz ihrer unpolitischen Thematik zweifellos einer im Politischen verhafteten Situation entsprungen. Auf Grund dieser Polarität wird die Freundschaft zu Maecenas, der an der Sphäre Caesars ebenso Anteil hat wie am Lebensbereich des Dichters, zur Mittlerin zwischen diesen beiden Welten. „Otium" und „labor", wenn auch nicht im sakralen Sinn der Epode 16, repräsentieren die beiden genannten Bereiche. Da sich Maecenas für das „periculum" Caesars entschieden hat, tauscht auch Horaz das „otium", das ohne den Freund „non dulce" wird, für den ihm wesensfremden „labor" ein. Durch die formale Parallele[44] wird deutlich, daß mit der Wahl des „labor" über das Medium der „amicitia" eine Teilnahme am „periculum" Caesars verbunden ist[45]. Dennoch bleibt die Partizipation am Politischen eine rein äußerliche, eine innere Anteilnahme am politischen Geschehen, wie Ed. Fränkel möchte[46], läßt sich dem Text der Epode nicht entnehmen. Der Kausalnexus bleibt auf den ideellen Bereich der „amicitia" beschränkt[47]. Diesen Aspekt immer vorausgesetzt, läßt die erste Epode nicht zuletzt durch die Einbeziehung der politischen Sphäre und ihrer maßgeblichen Exponenten den Willen des Dichters zu einer Annäherung der in Epode 16 getrennten Bereiche erkennen.

[44] Siehe S. 106.
[45] Die Ansicht R. Hansliks, a.a.O., S. 336, Epode 1 zeige, daß der Dichter durch Maecenas auch endgültig zu dem künftigen Princeps gefunden habe, ist zwar richtungsweisend aber scheint für diesen Zeitpunkt noch etwas verfrüht.
[46] Ed. Fraenkel, a.a.O., S. 71.
[47] H. Drexler, a.a.O., S. 162. R. Hanslik, a.a.O., S. 337.

IV. ZUSAMMENFASSUNG

Die Bedeutung der unter verschiedenen Aspekten viel erörterten 16. Epode für das Werk des Horaz und im besonderen für die spannungsreiche Beziehung des Dichters zur Politik zu klären, hat sich diese Arbeit vorgenommen. Als „Prolog" wurde die 7. Epode vorangestellt, von der wir auf Grund philologischer und historischer Überlegungen annehmen dürfen, daß sie das zeitlich erste politische Gedicht des Horaz ist. Unbestritten haben wir in der 7. Epode, möglicherweise im Anschluß an Sallusts pessimistischen Entwurf, eine mythisch-sakrale Deutung der römischen Geschichte vor uns, die darin besteht, daß Horaz die damalige Bürgerkriegssituation als schicksalhafte Wiederholung des am Anfang Roms stehenden mythischen Brudermordes sieht. Ein ebensolcher sakraler religiöser Charakter der 16. Epode hat sich auch als Antwort auf die zentrale Frage in ihr ergeben, wie die politische Physiognomie des Gedichtes zu beurteilen sei, in dem Horaz, nach Wiederaufnahme des Endes der 7. Epode, einer fiktiven Volksversammlung vorschlägt, den Greueln des Bürgerkrieges durch Preisgabe Roms und Auswanderung auf die Seligen Inseln zu entfliehen. Dieser Charakter wird durch sprachliche und formale Beobachtungen ebensosehr dokumentiert wie durch Motivvergleiche im Gesamtwerk des Horaz.

Sprachlich und formal ist festzustellen, daß am Beginn der Epode, der sich mit den damaligen politischen Gegebenheiten zu befassen vorgibt, statt konkreter Vorgänge mit Ausnahme der beiden ersten Verse Beispiele aus der römischen Geschichte und — gleichsam als Symbol des chaotischen Endzustandes — Bilder aus der antiken Topik stehen. Es geht dem Dichter nicht um Darstellung realer Einzelheiten, sondern um die Erkenntnis, daß die aktive Teilnahme am politischen Leben den Verlust der „pietas" nach sich ziehe. Sprachlich werden diese Verse durch das betont gesetzte „inpia" in V. 9 gekennzeichnet, mit dem der Motivbogen der „impietas" seinen Anfang nimmt, der mit „inpudica" in V. 58 ausklingen soll. Ihm gegenüber tritt ein Motivbogen der „pietas" von V. 15—66, der am Ende seinen Höhepunkt in der ausdrücklichen Zuweisung der Seligen Inseln an die „pii" erfährt. Zwischen den sakralen Begriffen „pietas" und „impietas" bewegt sich somit die gesamte Epode, und aus dem Spannungsverhältnis der von ihnen bezeichneten Bereiche erwächst die Bedeutung des Gedichtes.

Motivisch hat sich gezeigt, daß überall dort, wo in der Dichtung des Horaz das Thema „Bürgerkriege" erscheint, ihm ausnahmslos der Makel der „impietas" anhaftet. Bürgerkriege werden demnach von Horaz immer als Ausdruck menschlicher „impietas" im politischen Bereich gewertet und dasselbe gilt in hohem Maß für das Phänomen Krieg im allgemeinen, obwohl Horaz die politische Notwendigkeit kriegerischer Auseinandersetzungen eingesehen hat. Auf der anderen Seite finden sich im lyrischen Werk des Horaz immer wieder auch später verwendete Motive, die in der 16. Epode für die Seligen Inseln charakteristisch sind — Fruchtbarkeit der Natur, Freiheit von Gefährdung durch wilde Tiere, Unerreich-

barkeit durch Krieg und Schiffahrt, die den Bereich der „impietas" repräsentieren —
und zwar in Darstellungen des Dichter- und Lebensbereiches des Horaz,
der durch die Verbundenheit des Dichters mit den Göttern ein Bereich der „pietas"
ist. Auch anderen Menschen kann unter der Führung des „vates" Horaz die Geborgenheit dieses Bereiches zuteil werden, wie an Hand von C. I 17 und besonders
C II 6 gezeigt werden konnte. Wie der Dichter- und Lebensbereich stehen auch die
Seligen Inseln der 16. Epode unter dem Schutz der Götter im allgemeinen und
Juppiters ganz besonders, der sie von der übrigen Welt geschieden hat. Die Seligen
Inseln sind demnach ein Symbol für den Dichter- und Lebensbereich und der Auswanderungsplan in der 16. Epode ist ebensowenig räumlich-real zu verstehen wie
sie, sondern symbolisch-sakral. Er steht für die entschiedene Abkehr vom politi-
schen Leben.

Betrachtet man die 16. Epode unter den aufgezeigten Aspekten, so wird man sie
kaum mehr ein politisches Gedicht im herkömmlichen Sinn nennen können. Schiebt
man die Vordergründigkeit der Realien zur Seite, so erkennt man, daß es sich bei
Horaz in diesem Gedicht um eine durchaus sakrale Beurteilung des politischen Bereiches handelt. Daraus erklärt sich auch das Fehlen einer konkreten politischen
Lösung. Die sich ergebende Doppelschichtigkeit der Epode, die auch im Aufbau zum
Ausdruck kommt, konstituiert sich aus einer scheinbar realen politischen Vordergründigkeit und der im Hintergrund stehenden sakralen Gesamtauffassung des
Dichters.

In der Entstehungszeit der Epode kann es eine Synthese der oben dargestellten
Bereiche für Horaz nicht geben. Jahre später, nachdem der Dichter sich lange Zeit
von politischen Themen distanziert hatte, versucht er eine Synthese, die bezeichnenderweise in Gestalt einer Entsühnung des politischen Bereiches durch die Verbindung
Juppiter-Augustus wieder nicht auf politischer sondern auf sakraler Ebene vollzogen wird. Die ersten Ansätze zu dieser sakralen Synthese finden sich in Epode 9,
der andersgeartete Versuche in Gestalt einer Allegorie C. I 14 und durch das Medium
der „amicitia" in Epode 1 vorausgehen. Eine völlige Synthese des in der 16. Epode
geschaffenen geistigen, später weitgehend realisierten Dichter- und Lebensbereiches
mit der politischen Welt, um deren Gefahren vor allem für die inneren Werte des
Menschen er wußte, hat Horaz nie ernsthaft angestrebt. Seine Dichtung erwächst
zum großen Teil aus dieser ihm durchaus bewußten Spannung zweier im Grunde
selbständiger Bereiche. Gerade diese Polarität zusammen mit den in dieser Arbeit
gewonnenen Erkenntnissen eröffnet eine bisher wenig beachtete Perspektive hinsichtlich der vieldiskutierten Herrscherpanegyrik des Horaz. Während der in verschiedenen poetischen Variationen immer wiederkehrende Dichter- und Lebensbereich in
der 16. Epode, weit entfernt von seiner Realisierbarkeit, in rein geistigen Bezirken
angesiedelt wird, läßt sich im Laufe des horazischen Werkes eine schrittweise Ent-
idealisierung des genannten Bereiches erkennen, der in der Pax Augusta schließlich
seine Existenzmöglichkeit in der realen Welt bestätigt findet. In dieser sich erst allmählich klärenden und enthüllenden Einsicht des Dichters scheint sich eine weitaus
komplexere, gedanklich sublimere und geistig-poetisch tiefere Verherrlichung des
Herrschers als Urheber und Erhalter dieser Welt zu bekunden, als in jeder direkten
Huldigung an Augustus, eine Verherrlichung, deren Wahrheitsgehalt infolge ihres

komplizierten, die individuelle Existenz des Dichters einschließenden Charakters kaum wird in Frage gestellt werden können. Diese Deutung kommt auch der bei Horaz im einzelnen Gedicht wiederholt auftretenden Doppelschichtigkeit der Motiv- und Gedankenführung entgegen, die sich aus einer vordergründigen und einer symbolisch vertieften, oft schwer faßbaren Ebene der Aussage zusammensetzt, sofern es statthaft ist, die Struktur des Einzelwerkes auf einen größeren Gedankenkomplex zu transponieren.

112

Skizze zum Aufbau der Epode 16:

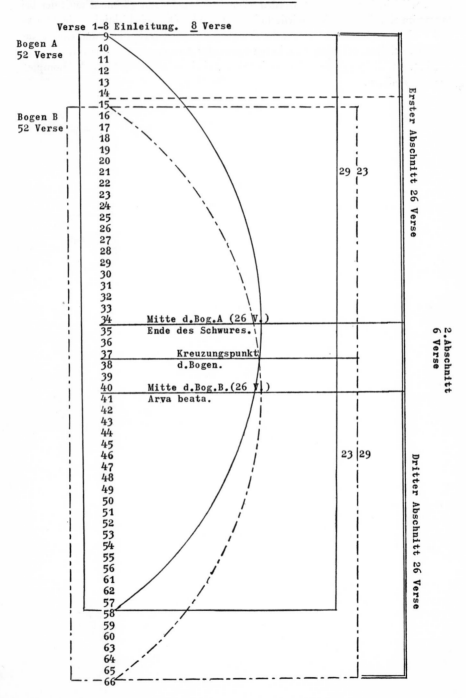

Verse 1-8 Einleitung.   8 Verse

Bogen A
52 Verse

Bogen B
52 Verse

9
10
11
12
13
14
15
16
17
18
19
20
21
22
23
24
25
26
27
28
29
30
31
32
33
34   Mitte d.Bog.A (26 V.)
35   Ende des Schwures.
36
37   Kreuzungspunkt
38   d.Bogen.
39
40   Mitte d.Bog.B.(26 V.)
41   Arva beata.
42
43
44
45
46
47
48
49
50
51
52
53
54
55
56
61
62
57
58
59
60
63
64
65
66

29 23

23 29

Erster Abschnitt 26 Verse

2.Abschnitt
6 Verse

Dritter Abschnitt 26 Verse

VERZEICHNIS DER VERWENDETEN TEXTAUSGABEN UND KOMMENTARE

a) Ausgaben zu Horaz

Q. Horati Flacci Opera. Rec. O. KELLER-A. HOLDER, Leipzig 1899.
Q. Horatius Flaccus, Opera. Ed. Fr. KLINGNER, Leipzig 1959.

b) Kommentare zu den Epoden des Horaz

Q. Horatius Flaccus. Rec. atque interpr. Gaspar ORELLI, Turin 1850.
Horatii Carmina et Epodi. Comm. crit. et exeget. Franz RITTER, Leipzig 1856.
Q. Horatii Flacci Carmina. Rec. P. Hofman PEERLKAMP, Amsterdam 1862.
Q. Horatius Flaccus. Ex rec. et cum notis, Richard BENTLEY, Berlin 1869.
Q. Horatius Flaccus. Mit vorzugsweiser Rücksicht auf die unechten Stellen und Gedichte. Hrsg. K. LEHRS, Leipzig 1869.
Q. Horatius Flaccus. Oden und Epoden. Erkl. v. Hermann SCHÜTZ, Berlin 1880.
Q. Horatii Flacci Oden und Epoden. Erklärt v. C. W. NAUCK, Leipzig 1889.
Q. Horatius Flaccus. Complete Works. Ed. by E. C. WICKHAM, London 1910.
Les Epodes d'Horace. Frank OLIVIER, Lausanne-Paris 1917.
Horace, Odes et Epodes. F. VILLENEUVE, Paris 1927.
Il libro degli Epodi col commento. Cesare GIARRATANO, Turin 1930.
Horace, Odes and Epodes. Re-ed. with Nothes in English suppl. to the Notes of the first edition by A. Y. CAMPBELL, Liverpool 1953.
Lehrerkommentar zu Horaz. RÖVER-OPPERMANN, Stuttgart 1962.
Q. Horatius Flaccus, Oden und Epoden. Erkl. v. A. KIESSLING, elfte Aufl. bes. v. R. HEINZE. Mit einem Nachwort und bibliographischen Nachträgen v. Erich BURCK. Zürich-Berlin 1964.

c) Scholien zu Horaz

Pomponi Porfyrionis commentum in Horatium Flaccum, rec. A. HOLDER, Innsbruck 1894.

d) Indices zu Horaz

Bo, Domenicus: Lexicon Horatianum. 2 Bdd. Hildesheim 1965/66.
COOPER, Lane: A Concordance of the works of Horace. Washington 1916.
STAEDLER, E.: Thesaurus Horatianus. Berlin 1962.

e) Wichtige Ausgaben anderer Autoren

Anthologia Lyrica Graeca, ed. Ernestus DIEHL, Fasc. 3, Leipzig 1964.
Aristophanes' „Frösche". Einleitung, Text und Kommentar von L. RADERMACHER, Wien ²1954.
Aristophane. Texte établi par Victor COULON, trad. par Hilaire VAN DAELE. 5 Bdd. Paris 1958.
Pindarus. Ed. Bruno SNELL, 2 Bdd. Leipzig 1964.
Poetae Melici Graeci. Ed. D. L. PAGE. Oxford 1962.

Sibyllinische Weissagungen. Urtext und Übersetzung. Ed. A. KURFESS. München 1951.
Vetus Testamentum Graece iuxta LXX interpretes. Ed. Constantin. de Tischendorf, 7. Aufl.
Eberardus NESTLE, 2 Bdd. Leipzig 1887.
Septuaginta, id est vetus Testamentum Graece iuxta LXX interpretes. Ed. Alfred RAHLFS,
2 Bdd. Stuttgart 1935.
Septuaginta, Vetus Testamentum Graecum, auctoritate Societatis Litterarum Gottingensis
editum. — vol. XIII: Duodecim prophetae, ed. Joseph ZIEGLER, Göttingen 1943. — vol.
XIV: Isaias, ed. Joseph ZIEGLER, Göttingen 1939. — vol. XV: Ieremias-Baruch-Threni-
Epistula Ieremiae, ed. Joseph ZIEGLER, Göttingen 1957.

Nachträglich wurden noch eingesehen:

Œuvres d'Horace, texte lat. avec un comm. crit. et explic. des introd. et tables par F.
PLESSIS, P. LEJAY et E. GALLETIER. Hildesheim 1966 (Nachdruck 1924).
Pseudacron, Scholia in Horatium vetustiora. vol. 1 rec. O. KELLER, Stuttgart 1967.

LITERATURVERZEICHNIS

ABLEITINGER-GRÜNBERGER, Doris: Die neunte Epode des Horaz. WS. N.F. 2/1968, S. 74—91.

ALFÖLDI, Andrew: Die Geburt der kaiserlichen Bildsymbolik. Kleine Beiträge zu ihrer Entstehungsgeschichte. 2. Der neue Romulus. MH 8/1951, 190—215.

AXELSON, Bertil: Eine crux interpretum in den Epoden des Horaz (XVI 15—16). Ut Pictura Poesis, Leiden 1955, S. 45—52.

BARWICK, Karl: Zur Interpretation und Chronologie der 4. Ecloge des Vergil und der 16. und 7. Epode des Horaz. Phil. 96/1944, S. 28—67.

BECKER, Carl: Virgils Eklogenbuch. H. 83/1955, S. 314—49.

BECKER, Carl: Besprechung von: Ed. Fraenkel, Horace. Gnom. 31/1959, S. 592—612.

BICKEL, Ernst: Politische Sibylleneklogen. RhM. 97/1954, S. 193—228.

BOLAFFI, Ezio: Orazio Epod. 16, 15—16. Urbinum 1930 (IV) 3, S. 48—51.

BÜCHNER, Karl: Horaz 1929—1936. Jahresbericht, Suppl. 267/1939.

BÜCHNER, Karl: Dichtung und Grammatik. Mnem. 4, 10/1957, S. 22 ff. abgedruckt in: Horaz. Studien zur röm. Literatur Bd. III, Wiesbaden 1962, S. 102—112.

BÜCHNER, Karl: Römische Literaturgeschichte. Stuttgart ³1962.

BURKERT, W.: Caesar und Romulus-Quirinus. Hist. 11/1962, S. 356—76.

CAMMELLI, G.: Orazio, Epodo XVI. Athen. 8/1930, S. 77—87.

CARCOPINO, J.: Virgile et le Mystère de la 4ᵉ Eclogue. Paris 1930.

CARRUBBA, Robert W.: The Curse on the Romans. TAPhA 97/1966, S. 29—34.

CARRUBBA, Robert W.: Structural Symmetry in Horace, Epodes 16, 41—66. RhM. 110/1967, S. 201—209.

CARTAULT, A.: Etudes sur les Satires d'Horace. Paris 1899.

CASTORINA, Emanuele: La Poesia d'Orazio. Rom 1965.

CLASSEN, C. Joachim: Romulus in der römischen Republik. Phil. 106/1962, S. 174—204.

CLASSEN, C. Joachim: Zur Herkunft der Sage von Romulus und Remus. Hist. 12/1963, S. 447—457.

COMMAGER, Steele: The odes of Horace. A critical Study. New Haven-London 1962.

CORBELLINI, Alberto: L'ironia e le ambagi del vate nell'Epodo 16 di Orazio. Raccolta di scritti in onore di Felice Ramorino, Milano o. J., S. 225—256.

CORSSEN, Peter: Die 4. Ekloge Virgils. Phil. 81/1926, S. 26—71.

CRAHAY, R., HUBAUX, J.: Le Pô et le Matinus. Stud. in onore di Luigi Castiglioni I., Firenze 1960, S. 453—71.

CURCIO, Gaetano: Gli epodi di Orazio. Racc. Ramorino, Milano o. J., S. 315—40.

CURCIO, Gaetano: Le liriche di Q. Orazio Flacco. Cantane 1930.

DOBESCH, Gerhard: Caesars Apotheose zu Lebzeiten und sein Ringen um den Königstitel. Untersuchungen über Caesars Alleinherrschaft. Wien 1966.

DOBLHOFER, Ernst: Die Augustuspanegyrik des Horaz in formal-historischer Sicht. Heidelberg 1966.

DORNSEIFF, Franz: Verschmähtes zu Vergil, Horaz und Properz. Ber. üb. d. Verh. d. sächs. Akad. d. Wiss., Leipzig, phil./hist. Kl. 97, H. 6, Berlin 1951.

DREXLER, Hans: Interpretationen zu Horaz' 16. Epode. Mit einem Anhang zu Epod. 7, Carm. I, 14 und Epod. 1. SIFC 12/1935, S. 119—164.

DREXLER, Hans:[1] Horaz, Lebenswirklichkeit und ethische Theorie. Mikrofilm, Göttingen 1953. (H. Drexler, Zur 16. Epode und 4. Ecloge. Maia 16/1964, S. 176—203, bringt im wesentlichen dieselben Gedanken wie der Mikrofilm.)

---

[1] Unter den Titeln „Interpretationen" und „Lebenswirklichkeit und ethische Theorie" als zweiter Teil des Buches: H. DREXLER, Die Entdeckung des Individuums. Salzburg 1966, im wesentlichen unverändert gedruckt erschienen.

116 Literaturverzeichnis

DUCKWORTH, George E.: Animae Dimidium Meae. TAPhA 87/1956, S. 281—316.
DUTOIT, Ernest: Le Thème de l'adynaton dans la poésie antique. Paris 1936.
ECKERT, Klaus: O et praesidium et dulce decus meum. (Horazens Freundschaft mit Maecenas als eine Seite seiner Religiosität.) WS 74/1961, S. 61—95.
ERDMANN, Gottfried: Die Vorgeschichte des Lukas- und Matthäus-Evangeliums und Vergils 4. Ekloge. Göttingen 1932.
FRAENKEL, Eduard: Horace. Oxford 1957.
FUCHS, Harald: Der geistige Widerstand gegen Rom in der antiken Welt. Berlin 1938.
FUCHS, Harald: Horazens 16. Epode. GArb. V/1938, 18, S. 5—6.
FUCHS, Harald: Rückschau und Ausblick im Arbeitsbereich der lateinischen Philologie. MH. 4/1947, S. 147—98.
FUNAIOLI, Gino: Horaz als Mensch und Dichter. Köln 1936.
FUNAIOLI, Gino: Ancora la 4ª Ecloga di Virgilio e il 16° Epodo di Orazio. MB 1930, S. 55—58.
GATZ, Bodo: Weltalter, goldene Zeit und sinnverwandte Vorstellungen. Spudasmata XVI. Hildesheim 1967.
GELZER, Matthias: Caesar der Politiker und Staatsmann. Wiesbaden 1960.
GIGANTE, Marcello: Erodoto nell'epodo XVI di Orazio. Maia 18/1966, S. 221—31.
GRIMAL, Pierre: A propos de la XVIᵉ Epode d'Horace. Lat. 20/1961, S. 721—30.
GRISET, E.: Ancora sul famoso epodo XVI di Orazio. MC 1938, S. 33—41.
HANCOCK, Elsie: The use of the singular "nos" by Horace. ClQ. 19/1925, S. 43—55.
HANSLIK, Rudolf: Die Religiosität des Horaz. Das Altertum 1/1955, S. 230—40.
HANSLIK, Rudolf: Horaz und Aktium. Serta Phil. Aenipontana. Innsbruck 1962, S. 335—342.
HELLEGOUARC'H, J.: Le vocabulaire Latin des relations et des partis politiques sous la république. Paris 1963.
HELMBOLD, W. C.: Eclogue IV and Epode XVI. CPh. 53/1958, S. 178.
HERRMANN, Léon: La date de la XVIᵉ épode d'Horace. REA 39/1937, S. 330—338.
HÖNN, Karl: Augustus und seine Zeit, Wien ⁴1953.
HOFMANN, J. B.: Lateinische Umgangssprache. Heidelberg ³1951.
HOMMEL, Hildebrecht: Horaz. Der Mensch und das Werk. Heidelberg 1950.
JANNE, Henry: L'épode XVI et l'histoire du second triumvirat. Etudes Horatiennes. Bruxelles 1937, S. 119—137.
KAPPELMACHER, Alfred: Der Werdegang des Lyrikers Horaz. WS 43, 1922/23, S. 44—61.
KEMPTER, Hans: Die römische Geschichte bei Horaz. Diss. München 1938.
KIRN, Bernhard: Zur literarischen Stellung von Horazens Iambenbuch. Diss. Tübingen 1935.
KLINGNER, Friedrich: Virgils erste Ekloge. H. 62/1927, S. 129—153 (Studien, Zürich 1964, S. 225 ff.)
KLINGNER, Friedrich: Gedanken über Horaz. Die Antike 5/1929, S. 23—44 (Röm. Geisteswelt, München ⁴1961, S. 353—375).
KLINGNER, Friedrich: Horazens Musengedicht. Röm. Geisteswelt, München ⁴1961, S. 376 bis 394. (Studien, S. 349 f.).
KLINGNER, Friedrich: Velox amoenum saepe Lucretilem. Studien zur griech. u. röm. Lit., Zürich 1964, S. 317—21.
KOCH, Carl: Der römische Juppiter. Frankfurt/Main 1937.
KOCH, Carl: Religio. Studien zu Kult und Glauben der Römer. Nürnberg 1960.
KRÄMER, Hans Joachim: Die Sage von Romulus und Remus in der lateinischen Literatur. Synusia, Festgabe für Wolfgang Schadewaldt zum 15. März 1965, Pfullingen 1965, S. 355—402.
KROLL, Josef: Horazens 16. Epode und Vergils erste Ekloge. H. 49/1914, S. 629—632.
KROLL, Josef: Horazens 16. Epode und Vergils Bukolika. H. 57/1922, S. 600—612.
KROLL, Wilhelm: Studien zum Verständnis der römischen Literatur. Stuttgart 1924.
KROYMANN, Jürgen: Römisches Sendungs- und Niedergangsbewußtsein. Eranion. Festschrift f. Hildebrecht Hommel, Tübingen 1961, S. 69—91.
KUKULA, Richard: Römische Säkularpoesie. Leipzig-Berlin 1911.
KURFESS, Alfons: Zu Horazens 16. Epode. Phil. Wschr. 1925, Sp. 604—606.

KURFESS, Alfons: Bemerkungen zu Horazens Jambenbuch. Phil. Wschr. 1935, Sp. 844—848.
KURFESS, Alfons: Vergils 4. Ekloge und Horazens 16. Epode. Phil. Wschr. 1935, Sp. 331—336.
KURFESS, Alfons: Horatiana. Phil. Wschr. 1935, Sp. 1132—1136.
KURFESS, Alfons: Vergil und Horaz. Phil. 91 (N. F. 45) 1936, S. 412—422.
KURFESS, Alfons: Vergil und die Sibyllinen. ZRGG 3/1951, S. 253—57.
KURFESS, Alfons: Vergil und Horaz. ZRGG 6/1954, S. 359—364.
KURFESS, Alfons: Horaz und die Sibyllinen. ZRGG 8/1956, S. 253—56.
LA PENNA, Antonio: Orazio e l'ideologia del principato. Turin 1963.
LATTE, Kurt: Römische Religionsgeschichte. HbdA., München 1960.
LATSCH, Rudolf: Die Chronologie der Satiren und Epoden des Horaz auf entwicklungsgeschichtlicher Grundlage. Diss. Würzburg 1936.
LEVI, L.: L'epodo XVI d'Orazio e la IV ecloga virgiliana. A & R 12/1931, S. 167—175.
LEVY, Isidor: Horace, le Deutéronome et l'Evangile de Marc. Etudes Horatiennes, Buxelles 1937, S. 147—152.
LIETZMANN, Hans: Der Weltheiland. Bonn 1909.
MEISTER, Karl: Die Freundschaft zwischen Horaz und Maecenas. Gymn. 57/1950, S. 3—38.
MOMMSEN, Theodor: Römisches Strafrecht. Darmstadt 1961 (Nachdruck der Ausgabe 1899).
NETTLESHIP, Henry: Lectures and Essays. Oxford 1885.
NILSSON, Martin P.: Geschichte der griechischen Religion. 2 Bdd. HbdA., 1. Bd. München ³1967, 2. Bd. ²1961.
NORDEN, Eduard: Die Geburt des Kindes. Stuttgart ³1958.
NOYES, Alfred: Portrait of Horace. London 1947.
OLLFORS, Anders: Ad Hor. Epod. 16, 6. Eranos 62/1964, S. 125—130.
OPELT, Ilona: Die lateinischen Schimpfwörter und verwandte sprachliche Erscheinungen. Heidelberg 1965.
OPPERMANN, Hans: Horaz, Dichtung und Staat. Das neue Bild der Antike II/1942, S. 265 bis 295.
PASQUALI, Giorgio: Orazio lirico. Studi ristampa xerografica con introduzione indici ed appendice di aggiornamento bibliografico a cura di Antonio La Penna. Florenz 1964.
PLÜSS, Theodor: Das Iambenbuch des Horaz im Lichte der eigenen Zeit und unserer Zeit. Leipzig 1904.
PÖSCHL, Viktor: Horaz und die Politik. SAW Heidelberg, phil./hist. Kl. 1956/4 (abgedruckt in: Prinzipat und Freiheit. Wege d. Forsch. 135, hsg. v. R. Klein, Darmstadt 1969).
REYNEN, Hans: Klima und Krankheiten auf den Inseln der Seligen. Epod. 16, 61 f. in: Interpretationen. Gymn. Beiheft 4, Heidelberg 1964, S. 77—104.
REYNEN, Hans: Ewiger Frühling und goldene Zeit. Zum Mythos des goldenen Zeitalters bei Ovid und Vergil. Gymn. 72/1965, S. 415—433.
RUPPRECHT, Karl: Gott auf Erden. Würzburger Jbb. 1/1946, S. 67—78.
SCHMID, Wolfgang: Eine verkannte Konstruktion in der 16. Epode des Horaz. Phil. 102/1958, S. 93—102.
SCHÖRNER, Georg: Sallust und Horaz über den Sittenverfall und die sittliche Erneuerung Roms. Diss. Erlangen 1934.
SCHROEDER, R. A.: Horaz als politischer Dichter. Europ. Revue 11, 1/1935, S. 311—31.
SEEL, Otto: Römertum und Latinität. Stuttgart 1964.
SEEL, Otto: Weltdichtung Roms zwischen Hellas und Gegenwart. Darmstadt 1965.
SNELL, Bruno: Die 16. Epode von Horaz und Vergils 4. Ekloge. H. 73/1938, S. 237—42.
SNELL, Bruno: Arkadien, die Entdeckung einer geistigen Landschaft. (Die Entdeckung des Geistes), Hamburg 1955.
SKUTSCH, Franz: 16. Epode und 4. Ekloge. NJbb. 23/1909, abgedruckt in: Kleine Schriften 363—377.
STRASBURGER, Hermann: Die Sage von der Gründung Roms. SAW Heidelberg, phil./hist. Kl. 1968/5.
SUDHAUS, S.: Jahrhundertfeier in Rom und messianische Weissagungen. RhM. N. F. 56/1901, S. 37—54.

SYME, Ronald: The Roman Revolution. Oxford 1956.

SYME, Ronald: Sallust. Berkeley/Los Angeles 1964.

THUMMER, Erich: Zur Deutung der 16. Epode des Horaz. Serta Phil. Aenipontana. Innsbruck 1962, S. 343—46.

TRÜMPNER, Hubert: Horaz Epode 7 und Vergil Aen. V. 664—75. AU 8, Heft 1/1965, S. 97—104.

TROXLER-KELLER, Irene: Die Dichterlandschaft des Horaz. Heidelberg 1964.

USENER, Hermann: Die Sintfluthsagen. Bonn 1899.

WAGENVOORT, Henrik: The crime of fratricide. Studies in Roman Literature, Culture and Religion. Leiden 1956, S. 169—183.

WASZINK, J. H.: Zur Odendichtung des Horaz. Gymn. 66/1959, S. 193—204.

WEYMAN, C.: Bemerkungen zur 16. Epode des Horaz. Natalicium Schrijnen, Nijmegen-Utrecht 1929, S. 737—746.

WILI, Walter: Horaz und die augusteische Kultur. Basel 1948.

WILKINSON, L. P.: The earliest odes of Horace. H. 84/1956, S. 495—499.

WIMMEL, Walter: Über das Verhältnis der IV. Ecloge zur XVI. Epode. H. 81/1953, S. 317—344.

WIMMEL, Walter: Vergils Eclogen und die Vorbilder der 16. Epode des Horaz. H. 89/1961, S. 208—226.

WITTE, Kurt: Horaz und Vergil, Kritik oder Abbau? Erlangen 1922.

WITTE, Kurt: Horazens 16. Epode und Vergils Bucolica. Phil. Wschr. 1921, Sp. 1095—1103.

WITTE, Kurt: Die Geschichte der römischen Dichtkunst im Zeitalter des Augustus. II, 2: Horazens Lyrik. Erlangen 1932.

Nachträglich eingesehene, in den Fußnoten nicht im einzelnen ausgewiesene Literatur:

Orazio, Odi ed Epodi con introd. e note di Francesco ARNALDI, Milano-Messina 1966.

CARRUBBA, R. W.: The technique of the double structure in Horace. Mnem. 20/1967, S. 68—75.

CARRUBBA, R. W.: The Epodes of Horace. A study in poetic arrangement. The Hague-Paris 1969.

JAL, Paul: La guerre civile à Rome. Etude littéraire et morale. Paris 1963.

WILKINSON, L. P.: Horace and his lyric poetry. Cambridge 1968.

STELLENINDICES

(Die hochgestellten Zahlen bezeichnen die Anmerkungen)

2) INDEX sämtlicher zitierter Stellen der übrigen antiken Autoren